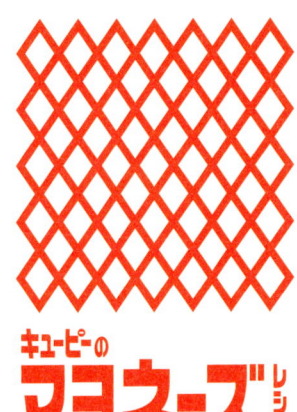

いつも、食卓にマヨネーズ

大人もこどもも大好きで、どの家庭にもあるマヨネーズ。
もはや、みそやしょうゆなどと並ぶ「基本の調味料」として
日本の食卓には欠かせない存在です。
カロリーを気にして敬遠する方もいますが、そんなのもったいない！
卵と油、そしてお酢からできているマヨネーズは
適量をきちんと守って使えば、とてもすぐれた栄養価があります。
成長期のこどもの食事にはもちろん、毎日のごはん作りに
ぜひ取り入れてもらいたい調味料です。

野菜と相性がいいことで知られるマヨネーズですが、
サラダだけでなく、幅広い料理に使えることをご存じですか?
まろやかなコクとうまみ、そしてさっぱりとした風味が
マヨネーズのおいしさの決め手。
この特徴を上手に生かせば、洋風おかずはもちろん
和風や中華の味つけだってOK。あえものだけでなく、
揚げものや炒めもの、煮ものにも大活躍してくれます。

主役にも、名脇役にもなれるマヨネーズ。
本書では、そんなマヨネーズの新しいおいしさを、
たくさんご紹介しています。
マヨネーズが1本あるだけで、料理のレパートリーが
こんなにも広がる! ということを、
実感していただけたら、うれしいです。

contents

- 002 はじめに
- 009 本書の使い方
- column マヨネーズはどこで生まれたの？ 010

chapter 1
ボリュームおかず

- 012 えびマヨ
- 014 タルタルチキンカツ
- 016 鮭の香味ソース焼き
- 018 豚肉と長いもの梅マヨ蒸し
- 020 ピリ辛マヨチキン
- 022 ひき肉とマッシュポテトのグラタン
- 024 こっくり豚キムチ
- 026 ジューシータンドリーチキン
- 028 豚肉のマヨピザ風
- 030 マヨ風味プルコギ
- 031 いかのマヨしょうが煮
- 032 ごちそうシュウマイ
- 033 れんこんとえびのマヨみそ焼き
- 034 豆腐のマヨしょうが焼き
- 036 かにかまししそ天
- 037 かじきのパセリチーズ焼き
- 038 ツナマヨの揚げ春巻き
- 040 あさりとセロリのさっぱり蒸し
- 042 ふっくらハンバーグ 明太マヨソース

マヨでごちそうトースト

- 044 クリーミークロックマダム
- 046 納豆ねぎマヨトースト
- 047 キムチチーズトースト
- 048 ウインナエッグトースト
- 049 ツナとブロッコリーのカレー風味トースト

キユーピー社員は知っている！マヨネーズの裏ワザ

- 050 鶏のから揚げをふんわりやわらかに！
- 052 厚焼き玉子を冷めてもふわふわに
- 053 チャーハンをパラッと仕上げる
- 054 ハンバーグをふんわりジューシーに
- 055 えびフライを揚げずに作る！

- 056 天ぷらをカラッとサクサクに
- 057 ホットケーキをふんわり、サクッと!
- 058 マヨネーズの活用法あれこれ

chapter 2
野菜のちいさなおかず

- 060 かぼちゃのクリーミーサラダ
- 062 ポテトサラダ
- 063 オーロラソースのポテトサラダ
- 064 マカロニサラダ

- 065 水菜と豆腐のゆずこしょうサラダ
- 066 アボカドまぐろのコチュマヨあえ
- 067 ミニトマトとほたてのピリ辛あえ
- 068 ごぼうと万能ねぎのサラダ
- 069 じゃがいものなめたけマヨのせ
- 070 トマトときゅうりのクミン風味サラダ
- 071 ブロッコリーとじゃがいものレモンマヨサラダ
- 072 長いもののりわさびマヨのせ
- 073 きゅうりとザーサイのピリ辛サラダ
- 074 ちくわと玉ねぎのからしマヨサラダ
- 075 トマトのマヨアンチョビサラダ

パクッと
つまめる
マヨの軽食

- 076 おかかのこっくりおにぎり
- 077 マヨしらすの焼きおにぎり
- 078 ジューシー肉まん
- 078 マヨピザまん

column マヨネーズの雑学Q&A　080

chapter 3
ひと皿ごはんと麺

- 082 サラダのり巻き
- 084 鮭フレークレタスチャーハン
- 085 ぱらぱらマヨピラフ
- 086 ふんわりオムライス

- 088 大根と油揚げのサラダそば
- 089 たっぷり野菜の冷やし中華風
- 090 アスパラとパプリカの明太マヨパスタ
- 092 ツナとバジルのパスタ
- 094 ちくわと玉ねぎのマヨ焼きそば

column マヨネーズができるまで　096

chapter 4
カンタンおつまみ

- 102　フライドポテトのガーリックマヨかけ
- 104　たらこマヨの揚げワンタン
- 106　ほたてときのこのにんにくパン粉焼き
- 108　油揚げのモッツァレラ詰め焼き
- 110　ちくわのおかかマヨあえ
- 111　梅香味野菜のきゅうりのせ
- 112　えびのガーリックオイル煮
- 113　はんぺんピザ

column マヨネーズの栄養学　114

- 116　マヨクリームチーズディップ
- 116　ツナカレーディップ
- 117　パセリマヨディップ
- 117　ひよこ豆ディップ
- 118　コチュマヨディップ
- 118　豆腐マヨディップ
- 119　白みそマヨソース
- 119　らっきょうのタルタルソース
- 120　バジルマヨソース
- 120　アンチョビマヨソース
- 121　アボカドディップ
- 121　枝豆ディップ

マヨで
おもてなし
ディップ

- 122　キユーピー　マヨネーズと仲間たち
- 123　瓶マヨネーズコレクション

- 124　**材料別INDEX**

本書の使い方

メニュー名

材料と作り方

本書のレシピでは、すべて「キユーピーマヨネーズ」を使用しています。巻末の材料別INDEXを活用すれば、家にある食材からきょうのメニューを決めることもできます。

memo

調理のコツやポイントを、キユーピーちゃんがナビゲートしてくれます。

混ぜて、炊くだけ！
ぱらぱらマヨピラフ

◆材料と作り方（2～3人分）

米	2合
A	マヨネーズ 大さじ2 塩 小さじ½ 白ワイン 大さじ1
B	玉ねぎ（みじん切り） ⅓個分 ホールコーン ⅓カップ にんじん（みじん切り） ⅓本分 ミニトマト 6個 ベーコン（みじん切り） 4枚分
粗びき黒こしょう 少々	

1. 米は洗って水360mlに30分浸す。Aを加え混ぜ、Bをのせて炊飯器で普通に炊く。
2. 炊き上がったら全体を混ぜて器に盛り、黒こしょうをふる。

memo マヨネーズもいっしょに炊き込むことで、米がべったりせず、パラッとしたピラフに。うまみとコクをたっぷり味わえます。

その他、本書での決まりごと

- 本書で使用している小さじ1は5ml、大さじ1は15ml、1カップは200mlです。
- 電子レンジは600Wのものを使用しました。500Wの場合は、1.2倍の加熱時間を目安にしてください。また、トースターは1000Wのものを使用しました。いずれも機種や使用年数によって多少差が出ますので、様子を見ながら加減してください。
- だし汁は昆布やかつお節でとったもの、オリーブオイルはエキストラ・バージン・オリーブオイルを使用しました。
- P034「豆腐のマヨしょうが焼き」など、マヨネーズを炒め油のかわりに使う場合は、必ずマヨネーズを入れてからフライパンを火にかけてください（熱したフライパンにマヨネーズを入れると、焦げたり分離しやすくなります）。

マヨネーズはどこで生まれたの?

いまや、日本はもちろん、世界中で広く愛されているマヨネーズ。
いつ、どこで誕生したのか、そのルーツを探ります!

スペイン生まれ説が有力!

諸説ありますが、スペインのメノルカ島発祥説がいちばん有力です。18世紀半ば、イギリス領だったこの島にフランス軍が攻撃を仕掛けました。指揮をとっていたのはリシュリュー公爵。アレクサンドル・デュマの小説『三銃士』に登場する、あのリシュリュー枢機卿の大甥にあたる貴族です。彼は戦争のさなか、メノルカ島の港町、マオンの料理店で肉に添えられていたソースを気に入り、のちにパリで「マオンのソース(mahonnaise=マオンネーズ)」として紹介。その後、mayonnaise(マヨネーズ)と呼ばれるようになったといわれています。

国産第一号は大正生まれ

パリでマヨネーズが紹介されてから1世紀以上も後に、アメリカでマヨネーズに出会ったのがキユーピー株式会社の創始者、中島董一郎。当時からアメリカではサラダにマヨネーズが使われていました。帰国後、会社を設立した彼は、1925年(大正14年)、ついに日本初の国産マヨネーズの製造・販売に踏み切ります。当時の輸入品の2倍の卵黄を使った、栄養価の高いものでした。ちなみに、キユーピー マヨネーズが最初に売られたのは日本橋三越などのデパート。はがきが1銭5厘だった時代に、128g入りの瓶が50銭もした高級品でした。

chapter 1

毎日のごはんに
マヨネーズが大活躍!
ボリュームおかず

まずは、マヨネーズを主役や隠し味に使った
メインおかずを、幅広〜くご紹介します。
マヨ味は肉にも魚にもぴったりマッチ!
定番のえびマヨやタルタルチキンカツから
あっさりした蒸しもの、こどもも大好きなグラタンなど
ごはんがすすむおかずを、よりすぐりました。

また作って! と必ず言われる定番おかず
えびマヨ

❖ 材料と作り方（2人分）

えび (無頭) …… 16尾
レタス (太めのせん切り) …… ¼個分
酒・しょうがの絞り汁 …… 各大さじ ½
片栗粉 …… 大さじ2
A │ **マヨネーズ** …… 大さじ4
　│ コンデンスミルク …… 大さじ1
　│ 粒マスタード …… 大さじ ½
揚げ油 …… 適量

1 えびは殻をむき、背に切り込みを入れて背ワタを除く。酒、しょうがの絞り汁をもみ込み、片栗粉を混ぜる。

2 揚げ油を180℃に熱し、1を1～2分かけてカリッと揚げる。

3 ボウルにAを混ぜ合わせ、2を加えてあえる。

4 器にレタスを敷き、3を盛る。

memo
みんな大好きなえびマヨ。コンデンスミルクのやさしい甘みとマスタードの酸味を加えることで、グッとおいしくなりました。

断面がきれいだから、おもてなしにも
タルタルチキンカツ

❖ 材料と作り方（2人分）

鶏むね肉（皮なし）……小2枚
A
- **マヨネーズ**……大さじ1
- ゆで卵（かたゆで。みじん切り）……1個分
- みそ……大さじ½
- おろしにんにく……少々

小麦粉・パン粉……各適量
B
- 小麦粉……大さじ3
- 水……大さじ3

塩……小さじ¼
こしょう……少々
ベビーリーフ……1パック
揚げ油……適量

1 鶏肉は中心から包丁を寝かせるようにして左右に切り開き（観音開き）、ラップにはさんでめん棒などでたたいて薄く広げ、塩、こしょうをふる。A、Bはそれぞれ混ぜ合わせる。

2 1の鶏肉に、Aを等分にのせて縦長になるように巻く。小麦粉を全体にしっかりまぶし、Bをからめてパン粉をつける。

3 揚げ油を170℃に熱し、2を4～5分かけてこんがりと揚げる。網にとってそのまま1～2分おき、余熱で火を通す。

4 食べやすく切って器に盛り、ベビーリーフを添える。

memo
みそとゆで卵をマヨネーズであえてタルタルに。コクのあるソースが、淡白な鶏むね肉にぴったり。

いつもの鮭が、マヨ＋野菜のソースでごちそうに！

鮭の香味ソース焼き

❖ 材料と作り方（2人分）

甘塩鮭 …… 2切れ
酒 …… 大さじ½
A ┃ **マヨネーズ** …… 大さじ2
　┃ 生しいたけ（みじん切り）…… 2枚分
　┃ ピーマン（みじん切り）…… 1個分
　┃ 玉ねぎ（みじん切り）…… ¼個分
ミニトマト …… 8個
レモン（半月切り）…… ¼個分

1. 鮭に酒をふり、5分ほどおく。Aはよく混ぜ合わせる。

2. 鮭にAをたっぷりのせ、中火弱に熱したグリルで7〜8分焼く（または230℃に予熱したオーブンで10分焼く）。

3. 器に盛り、ミニトマト、レモンを添える。

memo
マヨネーズに野菜のみじん切りを加えるだけで、香りのいいぜいたくなソースに。野菜とマヨの相性のよさを生かした一品です。

長いもがサクサク！ レンジでできる簡単蒸しもの

豚肉と長いもの
梅マヨ蒸し

❖ 材料と作り方（2人分）

豚ロース薄切り肉 …… 200g
長いも …… 200g

A | マヨネーズ …… 大さじ1
　| 梅肉 …… 大さじ1
　| 練りわさび …… 大さじ½
　| 酒 …… 大さじ1
　| 片栗粉 …… 小さじ1

みつば …… 10本

1 長いもは1cm幅の輪切りにする。みつばは葉を摘み、茎は1cm幅に切る。

2 ボウルにAをよく混ぜ合わせ、豚肉を加えてあえる。

3 耐熱皿に長いもを並べ、上に2をのせて広げ、ラップをして電子レンジで8分加熱する。仕上げにみつばを散らす。

memo
梅肉やわさびのキリッとした味わいを、マヨネーズがまろやかにまとめます。ごはんにも日本酒にも合う上品な味わい。

ピリッと刺激的なソースに、ごはんがすすむ
ピリ辛マヨチキン

❖ 材料と作り方（2人分）

鶏むね肉（皮なし）……1枚
A | 酒……大さじ½
  | 塩・こしょう……各少々
小麦粉……大さじ3
溶き卵……½個分
B | **マヨネーズ**……大さじ3
  | はちみつ……大さじ½
  | 豆板醤……小さじ1
  | おろしにんにく……少々
さやいんげん……100g
揚げ油……適量

1 いんげんは塩ゆでし、長さを2〜3等分に切る。

2 鶏肉はひと口大のそぎ切りにし、Aをもみ込む。小麦粉をまぶし、溶き卵にくぐらせる。

3 揚げ油を175℃に熱し、2を2〜3分かけてこんがりと揚げる。

4 ボウルにBを混ぜ、3を加えてあえる。1とともに器に盛る。

memo
ピリ辛ソースをからめたジューシーなチキン。甘み、辛み、酸味の絶妙なバランスが、あとをひくおいしさの秘密です。

こんがり、焦がしマヨネーズが香ばしい

ひき肉とマッシュポテトのグラタン

❖ 材料と作り方（2人分）

合いびき肉　200g
じゃがいも　2個
玉ねぎ（みじん切り）　½個分
牛乳　1カップ
A｜バター　10g
　｜塩・こしょう　各少々
B｜バジル　4枝
　｜塩　小さじ¼
　｜こしょう　少々
パン粉　大さじ3
マヨネーズ　約大さじ2
サラダ油　小さじ1

1　じゃがいもは皮つきのまま、たっぷりの湯でやわらかくなるまでゆでる。皮をむき、つぶしてなめらかにする。牛乳とともに鍋に入れ、弱火でとろりとするまで煮てAを加え混ぜる。

2　Bのバジルは飾り用に葉を数枚取り分け、残りはみじん切りにする。フライパンにサラダ油を熱し、玉ねぎを炒める。透き通ってきたらひき肉を加え、パラパラになるまで炒め、Bを加え混ぜる。

3　耐熱皿に1を少量敷き詰め、2をのせて平らにならす。残りの1をのせて平らにならし、パン粉をふって、マヨネーズを表面に波状に絞る。220℃に予熱したオーブンで10分焼き、取り分けておいたバジルを飾る。

memo

表面にマヨネーズをかけてこんがりと焼き、コクと香りをプラス。ひき肉といっしょに炒めたバジルもさわやかです。

ごはんがすすむ豚キムチ。マヨでバージョンアップ！
こっくり豚キムチ

❖ 材料と作り方（2人分）

豚ロース薄切り肉……200g
にら……1束
A ┃ 白菜キムチ（みじん切り）……150g
  ┃ **マヨネーズ**……大さじ2
  ┃ しょうゆ……小さじ1
酒……大さじ1
こしょう……少々
ごま油……小さじ1

1 豚肉はひと口大に切り、酒、こしょうをふる。にらは4〜5cm長さに切る。Aは混ぜ合わせる。

2 フライパンにごま油を熱し、豚肉を強火で炒める。肉がほぐれたらAを加えて炒め合わせる。

3 仕上げににらを加え、サッと炒め合わせる。

memo
この味を知ったら、もう豚キムチにマヨネーズは欠かせません！コクをプラスして、全体をまろやかにまとめ、豚肉のうまみを引き立ててくれます。

マヨネーズをもみ込むことで、お肉がやわらかに
ジューシータンドリーチキン

❖ 材料と作り方（2人分）

鶏むね肉 ―― 1枚
A
- **マヨネーズ** ―― 大さじ2
- トマトケチャップ ―― 大さじ2
- おろしにんにく ―― 1片分
- おろししょうが ―― 1かけ分
- カレー粉 ―― 小さじ1
- 白ワイン（または酒） ―― 大さじ1

1 鶏肉は7〜8mm厚さのそぎ切りにする。合わせたAをもみ込み、10分おく。

2 竹串に1の鶏肉を波状になるように刺し、中火弱に熱したグリルで7〜8分、両面を焼く（または230℃に予熱したオーブンで10分焼く）。器に盛り、あれば香菜（分量外）を添える。

> **memo**
> パサパサしがちな鶏むね肉ですが、マヨネーズソースをもみ込むと、味つけだけでなく、やわらかくなる効果が。

カラフル野菜たっぷりの楽しい一品
豚肉のマヨピザ風

❖ 材料と作り方（2人分）

豚ロース薄切り肉⋯⋯200g
A ┃ 玉ねぎ(薄切り)⋯⋯¼個分
 ┃ ホールコーン⋯⋯大さじ4
 ┃ ミニトマト(半分に切る)⋯⋯6個分
 ┃ ピーマン(薄い輪切り)⋯⋯1個分
塩・こしょう⋯⋯各少々
トマトケチャップ⋯⋯大さじ2
ピザ用チーズ⋯⋯30g
マヨネーズ⋯⋯大さじ2
粗びき黒こしょう⋯⋯少々
サラダ油⋯⋯小さじ1

1　フライパンにサラダ油をひき、豚肉を少しずつ重なるようにフライパン全面に並べ入れ、塩、こしょうをふる。強火にかけ、こんがりと焼き色がついたら裏返す。

2　火を止め、1にケチャップを塗り広げ、チーズをのせて、Aを彩りよく散らす。マヨネーズを線状に絞る。

3　ふたをして3〜4分、中火で蒸し焼きにする。器に盛り、黒こしょうをふる。

> **memo**
> 薄切り肉をピザ生地に見立てて焼いたユニークなメニュー。野菜嫌いのこどもにも食べやすいのは、マヨ×ケチャップ味だから。ビールにも、よく合います！

人気のおかずに、コクをプラス
マヨ風味プルコギ

❖ 材料と作り方（2人分）

牛もも薄切り肉 …… 200 g
玉ねぎ …… ½個
もやし …… ½袋
にんじん …… ⅓本
アスパラガス …… 4本

A | マヨネーズ …… 大さじ1
  | 砂糖・白すりごま …… 各大さじ1
  | しょうゆ・酒 …… 各大さじ2
  | おろしにんにく …… 1片分

粗びき赤唐辛子 …… 少々

1 玉ねぎは5mm幅のくし形切りに、にんじんはせん切りに、アスパラは根元の堅い皮を除いて斜め切りにする。

2 フライパンに牛肉とAを入れ、手でよくもみ込む。

3 2の上に玉ねぎ、もやし、にんじん、アスパラを順にのせ、ふたをして強火にかける。蒸気が出てきたらふたを取り、混ぜながら火を通す。

4 器に盛り、唐辛子をふる。

memo
あらかじめ牛肉にマヨソースを手でよくもみ込むと、牛肉がやわらかく仕上がります。こども向けには、唐辛子はふらずに。

意外にさっぱり、煮汁まで飲み干したくなるうまさ
いかのマヨしょうが煮

❖材料と作り方（2人分）

するめいか……2はい
A
- **マヨネーズ**……大さじ2
- しょうゆ・酒……各大さじ1
- しょうが（せん切り）……1かけ分
- ごま油……小さじ1

わけぎ……2本
七味唐辛子……適量

1　いかは足をそっと引き抜き、ワタと軟骨、目、くちばしを除く。皮をむき、胴は1cm幅の輪切り、足やエンペラは食べやすく切る。

2　鍋にAを入れて混ぜ、1を加えて中火にかける。いかがプリッとするまで4〜5分煮る。

3　わけぎは斜め薄切りにし、水にさらして水けをきる。2を器に盛り、わけぎをのせ、七味唐辛子をふる。

memo
マヨネーズの酸味は煮ている間に飛ぶので、仕上がりはまろやか。しょうがのおかげで、あと味もすっきりです。

コクがあって、食べごたえも満点！
ごちそうシュウマイ

❖ 材料と作り方（2人分・10個）

豚ひき肉──200g
玉ねぎ──1個
片栗粉──大さじ2

A｜マヨネーズ──大さじ1
　｜塩──小さじ½
　｜しょうゆ──小さじ1
　｜しょうがの絞り汁──大さじ1
生しいたけ（みじん切り）──4枚分
シュウマイの皮──24枚

1　玉ねぎはみじん切りにし、ふきんに包んでしっかり水けを絞り、片栗粉をまぶす。

2　ひき肉にAをよく混ぜる。1、しいたけを加えて混ぜ、10等分にして丸める。せん切りにしたシュウマイの皮を全体にまぶす。

3　蒸気の上がった蒸し器にオーブンシートを敷き、2を並べ入れ、強火で10分蒸す。好みで酢じょうゆとからし（ともに分量外）をつけていただく。

memo
ひき肉だねにマヨを加えると、ジューシーでやわらかに。皮に包まなくてもいいこの方法なら、おうちでも簡単です。

しょうがの風味を効かせてさわやかに
れんことえびのマヨみそ焼き

❖ 材料と作り方（2人分）

れんこん……1節	**マヨネーズ**……大さじ4
えび(無頭)……200g	A みそ……大さじ½
白ワイン……大さじ1	おろししょうが……1かけ分
こしょう……少々	塩……少々

1 れんこんは1cm厚さの輪切り（太い部分は半月切り）にする。えびは殻をむいて背ワタを除き、白ワイン、こしょうをふる。

2 耐熱容器にれんこんを並べ、ラップをして電子レンジで5分加熱する。取り出して塩をふる。

3 耐熱皿に2、えびをのせ、混ぜ合わせたAをかける。230℃に予熱したオーブンで10分焼く。

memo
れんこんはレンジで火を通してからオーブン焼きに。マヨとみその濃厚なうまみに、しょうがのピリッとした辛みが絶妙！

マヨネーズで焼くと、風味がアップ

豆腐のマヨしょうが焼き

❖ 材料と作り方（2人分）

木綿豆腐……1丁
わかめ（塩蔵）……30g
しめじ・まいたけ……各1パック
塩・こしょう……各少々
小麦粉……適量
マヨネーズ……大さじ2
A｜しょうゆ……大さじ2
　｜酒・みりん……各大さじ1
　｜しょうが（みじん切り）……1かけ分

1　わかめは洗って5分ほど水に浸し、水けをよく絞って食べやすい長さに切る。しめじは石づきを取り、まいたけとともに食べやすくほぐす。

2　豆腐はキッチンペーパーに包んで重しをし、20分ほどおいてしっかり水きりする。幅を半分、厚みを半分に切って塩、こしょうをふり、小麦粉を薄くまぶす。

3　フライパンにマヨネーズ大さじ1を入れてから、中火にかけて溶かし、2をこんがりと焼く。残りのマヨネーズを加えて溶かし、豆腐を裏返して1を加え、いっしょに焼いて器に盛る。

4　フライパンにAを入れて中火にかけ、とろりとしたら3にかける。

memo
あっさりした豆腐が、マヨネーズでリッチな味わいに変身。和風のしょうがだれともよく合います。きのことわかめでヘルシーに。

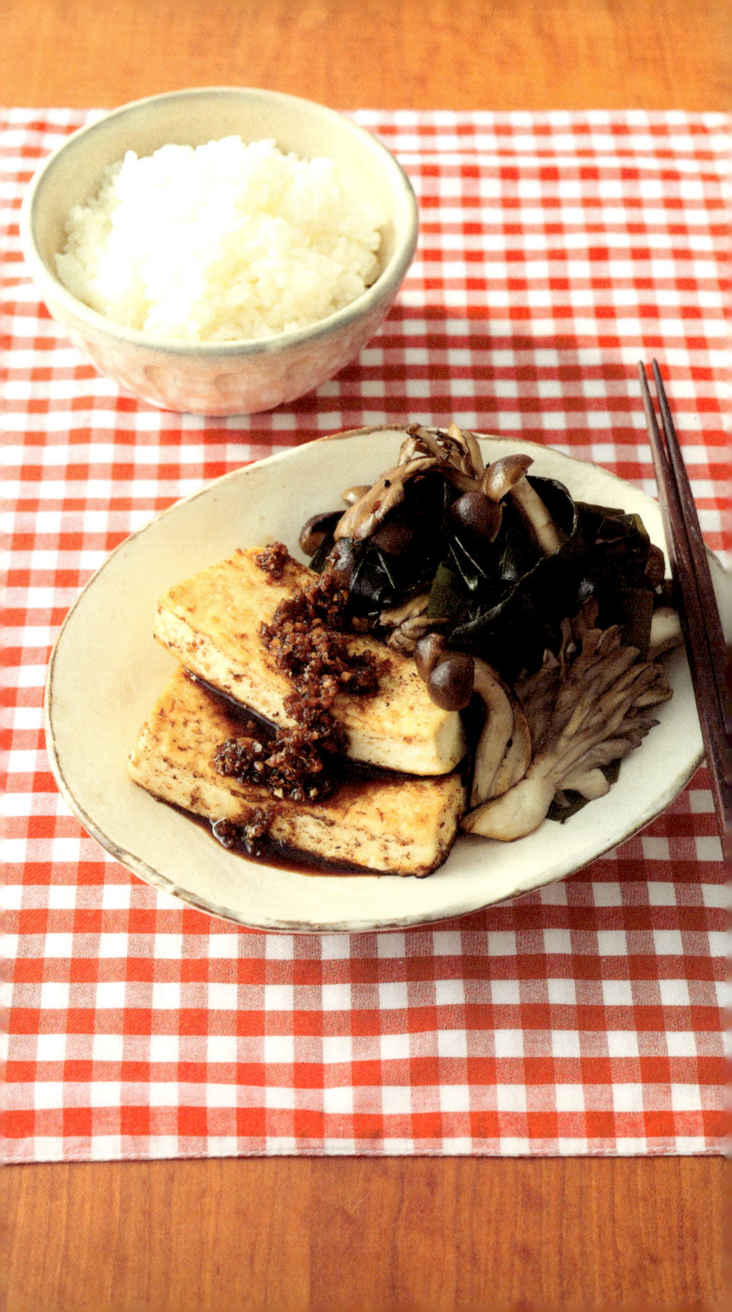

マヨネーズを加えたころもで、サクッと軽く
かにかましそ天

❖ 材料と作り方（2人分）

かに風味かまぼこ……6本
青じそ……6枚
マヨネーズ……大さじ1
A │ 小麦粉……大さじ3
  │ 塩……小さじ¼
  │ ベーキングパウダー……小さじ½
揚げ油……適量

1　かにかまに青じそを巻き、ようじでとめる。

2　ボウルにマヨネーズと水大さじ1と½を入れ、泡立て器でよく混ぜる。Aをふるい入れ、よく混ぜてころもを作る。

3　揚げ油を180℃に熱し、1を2にくぐらせて入れ、1〜2分かけてカリッと揚げる。

memo
マヨネーズ入りの天ぷらごろもは、驚くほどサクサクと軽い仕上がり。かにかまは揚げるとふわふわ、口の中でほどけます。

トロ～リ、こんがり、焦げ目もごちそう!
かじきのパセリチーズ焼き

❖ 材料と作り方（2人分）

かじき……2切れ	塩・こしょう……各少々
パプリカ(黄)……1個	白ワイン……大さじ½
ミニトマト……10個	

A
- マヨネーズ……大さじ2
- 粉チーズ……大さじ2
- パセリ(みじん切り)……大さじ1
- にんにく(みじん切り)……½片分
- 粗びき赤唐辛子……小さじ⅓

1　かじきとパプリカはひと口大の角切りにする。かじきに塩をふって5分おき、水けをふいてこしょう、白ワインをふる。

2　耐熱皿に1とミニトマトを並べ、よく混ぜたAを少しずつのせる。

3　230℃に予熱したオーブンで7～8分焼く。

memo
粉チーズやパセリ、にんにくを混ぜたマヨソースが絶品。マヨネーズのほのかな酸味が、味に深みを与えます。

こどもや男性も大好きなツナマヨを、くるりと包んで

ツナマヨの揚げ春巻き

❖ 材料と作り方（2人分・4本）

ライトツナフレーク ⋯⋯ 1パック(80g)
玉ねぎ(薄切り) ⋯⋯ ¼個分
A | マヨネーズ ⋯⋯ 大さじ1
　 | 塩・こしょう ⋯⋯ 各少々
青じそ ⋯⋯ 8枚
春巻きの皮 ⋯⋯ 4枚
B | 小麦粉 ⋯⋯ 大さじ1
　 | 水 ⋯⋯ 大さじ1
揚げ油・レモン(くし形切り) ⋯⋯ 各適量

1 ボウルに汁けをしっかりきったツナ、玉ねぎ、Aを入れ、よく混ぜる。

2 春巻きの皮の対角線上に青じそを2枚並べ、青じその上に1の¼量を細長くのせる。手前と両側を内側に折って巻き、巻き終わりは合わせたBを塗ってしっかりとめる。残りも同様に作る。

3 揚げ油を170℃に熱し、2を4〜5分かけてカリッと揚げる。器に盛り、レモンを添える。

memo
マヨネーズをやや控えめにすることで、ツナや玉ねぎのうまみと、青じその香りが引き立ちます。揚げたてあつあつをどうぞ！

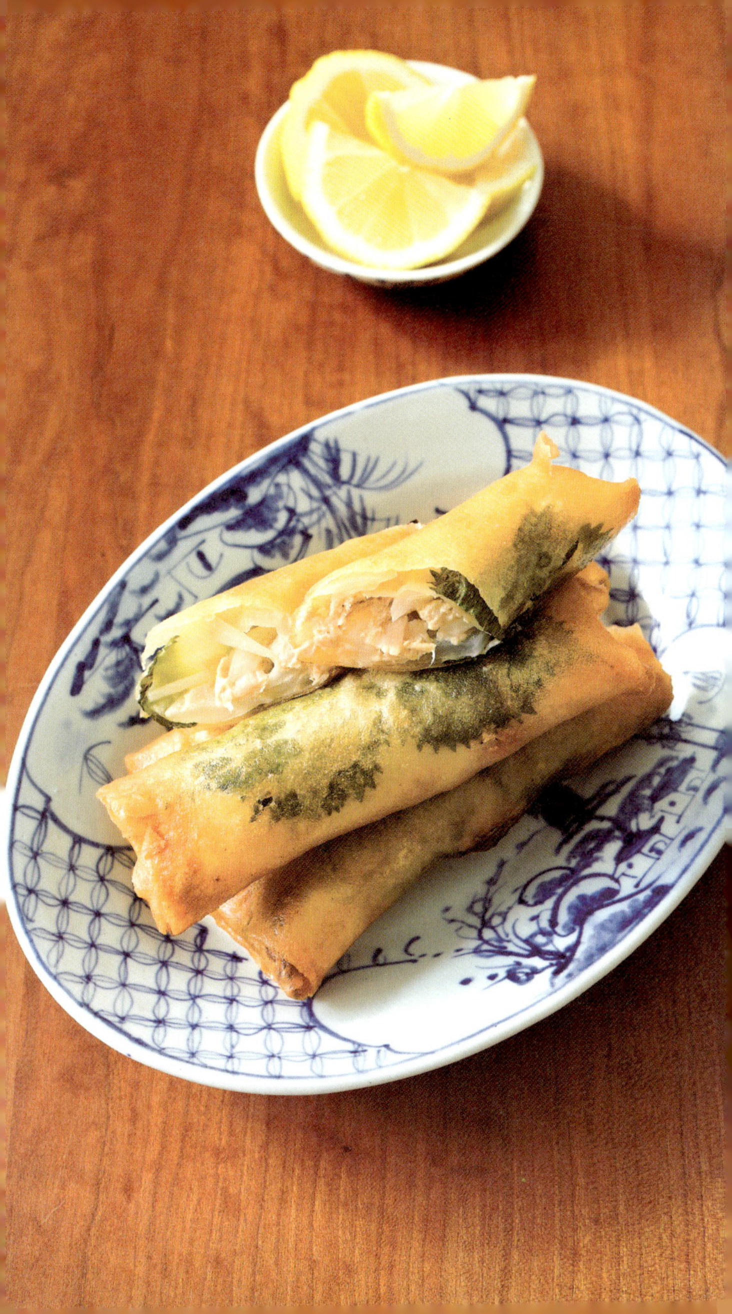

マヨネーズのほのかな酸味が味の決め手

あさりとセロリの さっぱり蒸し

❖ 材料と作り方（2人分）

あさり（砂抜き・殻つき）……300g
玉ねぎ……1/2個
セロリ……1本
長いも……200g
赤唐辛子……1本
A｜**マヨネーズ**……大さじ1
　｜白ワイン……大さじ3
　｜塩・こしょう……各少々
パセリ（みじん切り）……大さじ2

1 あさりはひたひたの塩水（水1カップに対して塩小さじ1）に1〜2時間浸して砂を吐かせ、殻をこすり合わせてよく洗う。玉ねぎは7〜8mm幅のくし形切り、セロリは斜め薄切り、長いもはよく洗って皮つきのままひと口大の乱切りにする。赤唐辛子は半分に切り、種を除く。

2 フライパンに玉ねぎ、長いも、セロリ、あさりの順に重ね、赤唐辛子を散らす。Aをまわしかけてふたをし、強火にかける。

3 蒸気が上がってきたら火を弱め、中火強で6〜7分蒸し煮にする。器に盛り、パセリをふる。

memo
うまみの強いあさりやセロリの香りをうまくまとめているのはマヨネーズ。味わいを前面に立たせない、上手な使い方です。

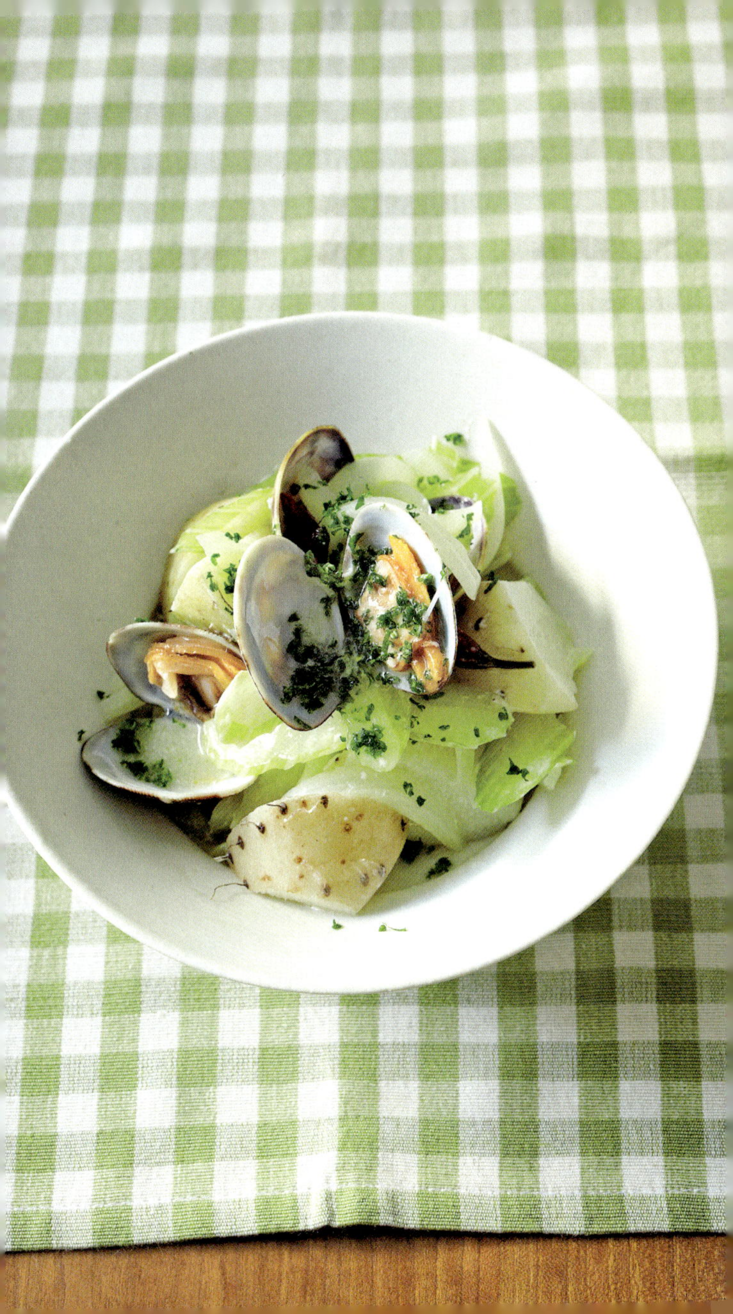

たねとソースのダブルマヨ使いで

ふっくらハンバーグ
明太マヨソース

❖ 材料と作り方（2人分）

合いびき肉 …… 200g
A |玉ねぎ …… ½個
　|パン粉 …… ½カップ
　|**マヨネーズ** …… 10g
　|塩・こしょう …… 各少々
B |**マヨネーズ** …… 大さじ2
　|明太子（薄皮を除く）…… ½腹
　|牛乳 …… 大さじ2
　|おろしにんにく …… 少々
かいわれ …… ½パック
サラダ油 …… 大さじ1

1 Aの玉ねぎはみじん切りにし、電子レンジで3分加熱して冷ます。かいわれは根元を落とし、長さを半分に切る。

2 ボウルにAを入れ、手でしっかり混ぜる。ひき肉を加え、さらに練り混ぜてたたきつけ、空気を抜く。2等分し、ハンバーグ形にする。

3 フライパンにサラダ油を強火で熱し、2を入れて1分ほど焼く。焼き色がついたら弱火にし、4分ほど焼く。裏返して強火で1分、弱火にしてふたをし、5分ほど蒸し焼きにする。

4 3を器に盛り、混ぜ合わせたBをかけ、かいわれをのせる。

> **memo**
> 卵なしでもふんわり仕上がるのは、肉だねに混ぜたマヨネーズのおかげ！ ソースには牛乳を加え、少しあっさり仕上げます。

しっかり食べたい朝ごはんに！

マヨでごちそうトースト

手でつまんでパクッと食べられるトーストは、
あわただしい朝にもぴったりのメニュー。
のっけて焼く、浸して焼くだけだから、
主婦にとっても心強い味方です。

❖ 材料と作り方（1人分）

食パン —— 2枚
スライスチーズ —— 1枚
ハム —— 1枚
A｜**マヨネーズ** —— 大さじ2
　｜牛乳 —— 大さじ2
　｜塩・こしょう —— 各少々
卵 —— 1個
粗びき黒こしょう —— 少々
サラダ油 —— 適量

**クリーミー
クロックマダム**

1 パンにチーズ、ハムをはさみ、よく混ぜたAに浸す。

2 フライパンにサラダ油少々を熱し、1の両面をこんがりと焼き、器に盛る。

3 2のフライパンにサラダ油少々を足し、卵を割り入れて目玉焼きを作る。2にのせ、黒こしょうをふる。

マヨ+牛乳に浸すとクリーミーな味わいに。これなら、フレンチトーストのように、「卵液が余ってしまった！」ということもありません。

とろ〜り卵をからめて、いただきます！

納豆ねぎマヨトースト

❖ 材料と作り方（1人分）

好みのパン（スライス）……1枚
マヨネーズ……大さじ1
納豆……1パック
納豆に添付のたれ……½袋
　（またはしょうゆ小さじ½）
万能ねぎ（小口切り）……1本分
白いりごま……少々

パンにマヨネーズを塗り、たれを混ぜた納豆をのせ広げる。オーブントースターで3〜4分焼き、万能ねぎとごまを散らす。

> パンにマヨネーズを塗っておくと納豆がしっくりなじみます。

納豆特有の臭みが減って食べやすく

❖ 材料と作り方（1人分）

好みのパン（スライス）……1枚
白菜キムチ（粗みじん切り）……50g
ピザ用チーズ……30g
マヨネーズ……大さじ½

キムチチーズトースト

パンにマヨネーズ（分量外）を薄く塗り、チーズ、キムチをのせ広げる。マヨネーズを絞って、オーブントースターで3～4分焼く。

相性のいいキムチとチーズを、マヨネーズがまとめます。キムチは食べやすいように細かく刻んで。

マヨのコクがキムチの酸味をマイルドに

見た目もかわいい、ボリュームトースト

ウインナエッグトースト

❖ 材料と作り方（1人分）
食パン … 1枚
ウインナ … 2本
マヨネーズ … 適量
卵 … 1個
塩・こしょう … 各少々

1 食パンにマヨネーズ（分量外）を薄く塗る。

2 マヨネーズを食パンの縁に沿ってぐるりと絞り、土手を作る。内側にウインナをのせ、中央に卵を割り入れて、オーブントースターで3～4分焼く。塩、こしょうをふる。

> マヨネーズの土手を四角く作って、内側に具をのせます。あとはトースターまかせで、でき上がり！

ツナとブロッコリーのカレー風味トースト

❖ 材料と作り方（1人分）

バゲット（スライス）　2枚
ライトツナフレーク　大さじ2
ブロッコリー　3房
マヨネーズ　大さじ1
カレー粉　小さじ1/3

ブロッコリーは塩ゆでして粗く刻み、ツナ、マヨネーズ、カレー粉とよく混ぜる。バゲットにのせ、オーブントースターで3〜4分焼く。

> ツナマヨとブロッコリーが好相性。野菜によく合うマヨネーズの本領発揮です。カレー風味が食欲をそそる！

ツナマヨ＋カレー味の最強コンビ！

キユーピー社員は知っている!

マヨネーズの裏ワザ

かけるだけ、あえるだけでもおいしいマヨネーズだけれど、
いつもの料理をもっとおいしくするテクニックがありました!
キユーピー株式会社の研究員に
マヨネーズの一歩進んだ"裏ワザ"を、教えてもらいました。

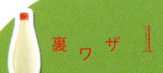

裏ワザ 1

鶏のから揚げをふんわりやわらかに!

鶏肉に、マヨネーズを加えた漬けだれをもみ込んで揚げると、肉がやわらかくなり、臭みを消すこともできます

ポイントは…酢と乳化された植物油

マヨネーズに含まれる酢が肉のたんぱく質に作用し、やわらかくします。また、乳化した油も肉をコーティングしてくれるため、パサパサ、カチカチになるのを防ぎます。

応用レシピ

ジューシータンドリーチキン
(→P026)

参考レシピ

ひと口大に切った鶏もも肉・鶏むね肉各1枚に、しょうゆ大さじ1と½、酒大さじ1、マヨネーズ大さじ1〜2、おろししょうが1かけ分、おろしにんにく1片分をよくもみ込みます。3時間ほどおいてから、片栗粉大さじ4〜5をもみ込み、175℃に熱した揚げ油で、4〜5分かけてカラリと揚げます。

051 ── マヨネーズの裏ワザ

研究員・村居さんの プラスワン情報

3時間漬けておくのが難しい場合でも、30分以上漬けるのがおすすめです。肉をやわらかくする効果は、ピカタや冷しゃぶなどでも実感できますよ。

乳化って?

分離している2つの液体が安定的に混ぜ合わさった状態のこと。マヨネーズの場合、原料の油と酢はそのままでは混ざり合いませんが、卵黄が持つ油と水分の両方に結びつく力によって、油と酢をきれいに混ぜ合わせることができます。キユーピー マヨネーズは、独自の製法で油の粒子をとても細かく仕上げています。

裏ワザ 2

厚焼き玉子を冷めてもふわふわに

卵1個に対してマヨネーズ5g（約小さじ1）を加えた厚焼き玉子は、冷めてもふわふわした食感！

ポイントは…
乳化された植物油と酢

手作りの厚焼き玉子やオムレツが時間が経つとかたくなってしまうのは、油分がない状態のたんぱく質（この場合は卵）が、加熱するときに結合してかたくなってしまうため。
そこで卵1個に対して5gほどのマヨネーズを加えてよく混ぜると、マヨネーズの乳化された植物油の細かい粒子と酢が、卵のたんぱく質に分散。油と酢が、加熱によるたんぱく質の結合をソフトにし、ふわふわに。この油は冷めても固まらないので、やわらかい状態を保つことができます。

参考レシピ

1. ボウルに卵4個を割り入れ、マヨネーズ大さじ1を加えてよく混ぜ、砂糖大さじ1、しょうゆ大さじ½を加えてさらに混ぜる。
2. 卵焼き器に1を数回に分けて流し入れ、巻きながら焼いて厚焼き玉子を作る。

応用レシピ

ふんわりオムライス（→P086）

研究員・村居さんのプラスワン情報

作り方1の段階でマヨネーズが多少ダマになっていてもOK！ 焼くときに溶けるので問題ありません。

裏ワザ 5
チャーハンを パラッと 仕上げる

油のかわりにマヨネーズを使うと、パラッとしたチャーハンに。ごはん200gに対し、マヨネーズ大さじ1の割合で！

ポイントは…
卵黄と乳化された植物油

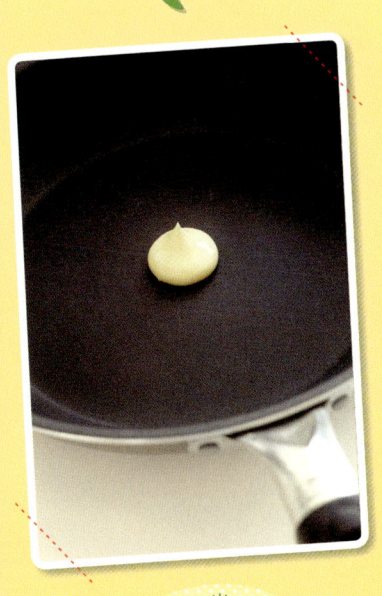

一生懸命ほぐしながら炒めているつもりでも、ごはんの小さなかたまりが残りがちなチャーハン。家庭だと、なかなかお店のようにパラッといかないものです。

でも、フライパンにマヨネーズを入れてから火にかけ、マヨネーズが溶け始めたら温かいごはんを加えて混ぜながら炒めると、ひと粒ひと粒がパラッとしたチャーハンに！　この秘密は、マヨネーズの卵黄と乳化された植物油。この2つがごはんの粒をコーティングするので、油で炒めるよりもかたまりになりにくく、パラッと仕上がるのです。

053 ― マヨネーズの裏ワザ

研究員・村居さんの プラスワン情報

あらかじめごはんにマヨネーズを混ぜておいてから炒める方法でも、パラパラになりますよ。この場合はフライパンに何もひかなくてOKです。

応用レシピ

鮭フレークレタスチャーハン
（→P084）

裏ワザ 4

ハンバーグをふんわりジューシーに

秘訣は、ひき肉の5%量のマヨネーズ！
ひき肉200gなら、マヨネーズ10gを加えてください

ポイントは…
乳化された植物油

ハンバーグがかたくなってしまうのは、火が通るにつれてひき肉のたんぱく質が結合するから。マヨネーズを肉だねに混ぜ込んでおくことで、結合の力を弱め、やわらかく仕上げることができます。
乳化された植物油の細かな粒子は、全体にまんべんなく広がりやすいので、ひき肉によくなじみます。その細かな粒子が、加熱によるひき肉の結合をソフトにするので、焼き上がりがふっくら、ジューシーになる、というわけです。

研究員・村居さんのプラスワン情報

ひき肉に対してマヨネーズの量を多くするほどやわらか仕上がります。10%以上加えると油っぽくなってしまうので、ベストなのは5%です。

🏛 応用レシピ

ふっくらハンバーグ
明太マヨソース（→P042）
ごちそうシュウマイ（→P032）

裏ワザ5
えびフライを揚げずに作る!

卵のかわりにマヨネーズを使ってころもを作り、あとはオーブンで焼くだけ

ポイントは…
植物油の分離

卵にくぐらせるかわりにマヨネーズを塗ってパン粉をつけ、オーブンで焼くと、オーブン庫内の熱でマヨネーズの油が分離してきます。その油が、揚げ油のかわりとなり、「揚げ焼き」のような状態に。えびは火が通りやすいので、揚げ油なしでもえびフライが完成します。

マヨネーズの裏ワザ

研究員・村居さんの プラスワン情報

油で揚げないので、ヘルシーです。えびのほかに、鶏ささみや鮭で同様にフライにしても、おいしくできますよ。おべんとうのおかずにもぴったり!

参考レシピ

殻をむいて背ワタを除いたえびに塩、こしょうをふって小麦粉をまぶし、表面が見えなくなるくらい(えび中1尾に対して3g程度)のマヨネーズをまんべんなく塗ります。パン粉をまぶし、240℃に予熱したオーブンで約10分焼きます。表面がきつね色になればOK。

裏ワザ 6
天ぷらをカラッとサクサクに

天ぷらごろもの卵をマヨネーズにかえるとカラッ、サクサクッと揚がります

ポイントは…
乳化された植物油

天ぷらがベタッと油っぽくなってしまうのは、ころもの中に水分が残ってしまうのが原因。ころもの卵をマヨネーズにすると、乳化された植物油の細かい粒子がころも全体に分散します。揚げ油に入れると、ころもの油の温度も上昇し、その周囲のころもの水分が蒸発。ころもの中に水分を残さずに揚げることができるので、カラッとした食感になるのです。
ころもの配合は、マヨネーズ大さじ1、小麦粉50g、水75㎖。ボウルにマヨネーズを入れ、少しずつ水を加えて混ぜ、最後に小麦粉を混ぜます。

研究員・村居さんのプラスワン情報

ころもの水は、冷水にするとよりカラッと揚がります。小麦粉は少し粉が残る程度に混ぜれば十分。混ぜすぎないようにしてください。

📖 応用レシピ

かにかまましそ天（→P036）

裏ワザ 7
ホットケーキを ふんわり、サクッと!

生地にマヨネーズを加えると ふんわり、サクッとした 口あたりになります

ポイントは…
植物油と酢の働き

マヨネーズの植物油や酢が、ホットケーキを作る過程でできるグルテンの形成に影響を与えるため、ホットケーキがふくらみやすく、やわらかになります。しかも表面はサクッとした食感に。市販のホットケーキミックスにマヨネーズを加えるだけの、手軽さも魅力です。

参考レシピ

ホットケーキミックス150g、卵1個、牛乳80mlに対してマヨネーズ大さじ1と1/2を加え混ぜて生地を作り、あとは普通に焼きます。

研究員・村居さんの プラスワン情報

このホットケーキ、冷凍保存もできるんですよ。解凍してもふんわりとした食感はそのまま! マヨネーズの味はしません。

マヨネーズの裏ワザ

なるほど! 意外!?
マヨネーズの活用法あれこれ

ちょい足しでコクをアップ

カレーや納豆にマヨネーズを"ちょい足し"してみて。とくにキユーピー マヨネーズは、乳化した植物油と卵黄のコクをたっぷり含んでいるから、少量でも十分なコクを感じられます。

サンドイッチに塗って…

サンドイッチを作るとき、パンにマヨネーズを塗っておくと、具から出た水分がパンにしみ込むのを防いでくれます。きゅうりサンドやBLTサンドなど、マヨと相性のいい具をはさめばおいしさもアップ！

マヨネーズでスイーツ!?

チーズケーキやアイスクリームを作るときにマヨネーズを加えると、ほどよい酸味と塩がアクセントに。チーズケーキなら、クリームチーズの1/3弱の量を加えるのが目安。コクも出ます。

焼き菓子にも便利!

クッキーやマフィンなどの焼き菓子にも、マヨネーズを活用できます。たとえばバターをきらしてしまったとき、マヨネーズで代用してみて。ベーキングパウダーとも好相性だし、練る手間も省けます。

chapter 2

> マヨネーズと好相性!
> **野菜の
> ちいさなおかず**

あらゆる野菜をおいしくしてくれるマヨネーズは
まるで魔法の調味料!
パパッと作れるサブおかずは、食卓に
あと一品ほしいときにもぴったりです。
ゆずこしょうやわさび、のりの佃煮など、
ちょっぴり意外な食材との組み合わせも、新鮮。

電子レンジでできるお手軽サラダ

かぼちゃの
クリーミーサラダ

❖ 材料と作り方（2人分）

かぼちゃ……¼個
玉ねぎ……¼個
ベーコン……3枚
マヨネーズ……大さじ2
ヨーグルト……大さじ2
塩・こしょう……各少々
粗びき黒こしょう……少々

1 かぼちゃは皮をむき、3cm角に切る。玉ねぎは薄切りに、ベーコンは5mm幅に切る。

2 耐熱ボウルに1を入れ、ラップをして電子レンジで6分ほど加熱する。

3 2の水けをきって塩、こしょうをふり、粗熱がとれたらマヨネーズ、ヨーグルトを加えてあえる。器に盛り、黒こしょうをふる。

memo

ヨーグルトとマヨネーズを合わせると、酸味とコクがマッチした絶品ソースに！ 甘くてほくほくのかぼちゃに、ぴったりです。

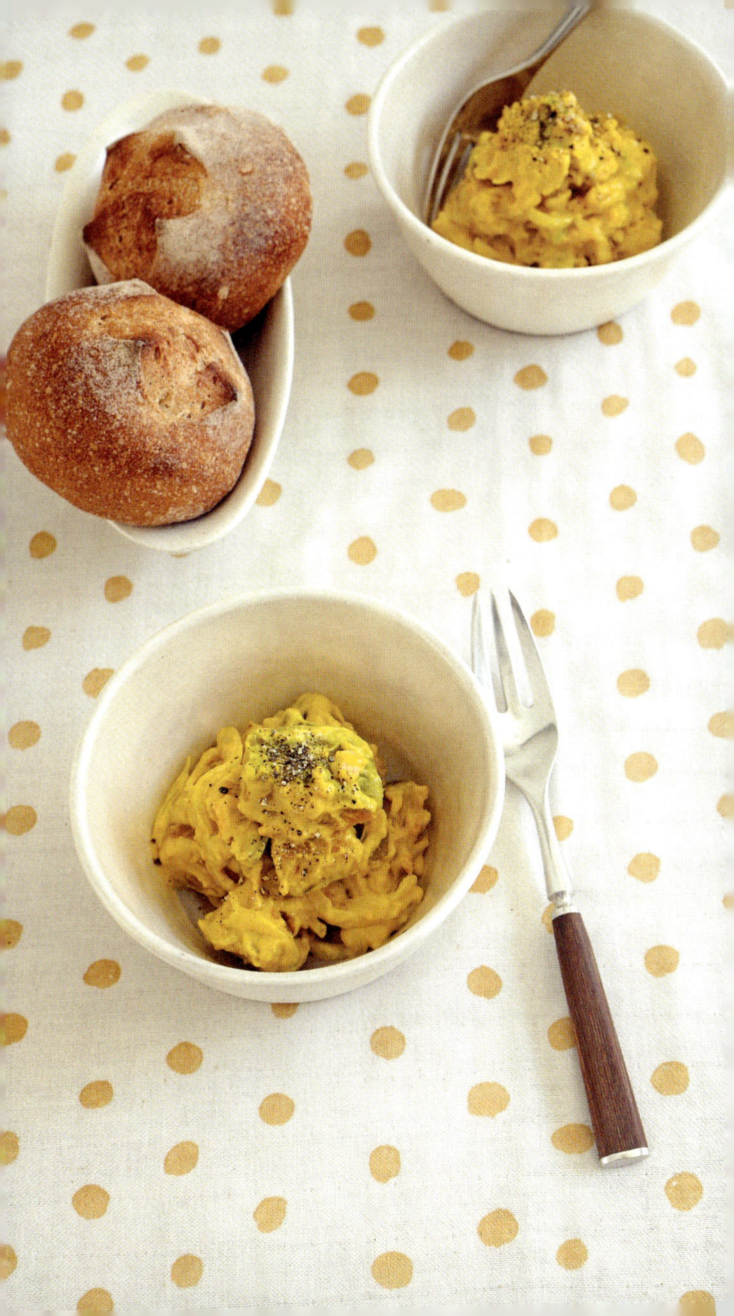

> **memo**
> じゃがいもが熱いうちにしっかり下味をつけ、冷ましてからマヨネーズを加えます。

覚えておきたい、黄金レシピ！
ポテトサラダ

❖ 材料と作り方（2人分）

じゃがいも……2個
ハム……4枚
にんじん……½本
玉ねぎ……¼個
きゅうり……1本

A｜白ワインビネガー……大さじ½
　｜オリーブオイル……大さじ1
　｜塩……小さじ¼
　｜こしょう……少々
マヨネーズ……大さじ5
塩……適量

1　ハムはせん切りにする。玉ねぎは薄切りにし、塩少々をふってもみ洗いし、水けを絞る。きゅうりは小口切りにし、塩小さじ⅕をふり、しんなりしたら水けを絞る。

2　じゃがいも、にんじんはたっぷりの水とともに鍋に入れ、じゃがいもにスッと竹串が通るまでゆでる。それぞれ皮をむき、じゃがいもはひと口大に、にんじんは半月切りにする。

3　ボウルに2を合わせ、熱いうちにAを加え混ぜ、冷ます。

4　1、マヨネーズを加えてあえる。

ピンク色のソースが目にも鮮やか
オーロラソースのポテトサラダ

❖ 材料と作り方（2人分）

じゃがいも……2個
玉ねぎ……¼個
ホールコーン……½カップ
A│白ワインビネガー……大さじ½
　│オリーブオイル……大さじ1
　│塩……小さじ¼
　│カレー粉……少々

B│**マヨネーズ**……大さじ2
　│トマトケチャップ
　│　……大さじ2
　│ヨーグルト……大さじ1

1　玉ねぎは薄切りにし、塩少々（分量外）をふってもみ洗いし、水けを絞る。

2　じゃがいもはたっぷりの水とともに鍋に入れ、スッと竹串が通るまでゆでる。皮をむき、ひと口大に切る。熱いうちにAを加え混ぜ、冷ます。

3　1、コーン、Bを加えてあえる。

memo
コーンやケチャップ、ヨーグルトで甘みと酸味を加えたポテサラのアレンジ。こどもも喜ぶ味です。

こどもはもちろん、家族みんなが大好きな味

マカロニサラダ

❖ 材料と作り方（2人分）

マカロニ……100g
紫玉ねぎ……¼個
ピーマン……1個
ライトツナフレーク……1パック
オリーブオイル……小さじ1

A
| マヨネーズ……大さじ4
| マスタード……小さじ1
| レモン汁……大さじ½
| 塩……小さじ¼

1 玉ねぎは薄切りに、ピーマンは薄い半月切りにする。

2 鍋にたっぷりの湯を沸かし、塩少々（分量外）を加えて、マカロニを袋の表示通りにゆでる。ざるに上げ、冷水にとって水けをよくきり、オリーブオイルをからめる。

3 ボウルにAをよく混ぜ、ツナ、1を加え、2も加えてあえる。

memo
マスタードを効かせるのがポイント。紫玉ねぎやピーマンを加えて食感に変化をつけ、見た目もきれいに。

和風サラダにもマヨネーズが大活躍
水菜と豆腐のゆずこしょうサラダ

❖ 材料と作り方（2人分）

木綿豆腐 …… ½丁
しょうゆ …… 小さじ2
水菜 …… 50g
A｜マヨネーズ …… 大さじ2
　｜ゆずこしょう …… 小さじ1

1. 豆腐はキッチンペーパーに包んで重しをし、5分ほどおいてしっかり水きりする。ひと口大にちぎり、しょうゆをかける。

2. 水菜は3cm長さに切る。

3. ボウルにAを混ぜ、水けをきった1、2を加えてあえる。

> **memo**
> ゆずこしょうの香りとさわやかな辛みがマヨネーズにぴったり。大根やかぶのサラダに使っても、おいしいです。

あえるだけなのに豪華な一品！
アボカドまぐろのコチュマヨあえ

❖ 材料と作り方（2人分）

アボカド……1個
まぐろ（刺身用・ぶつ切り）……100g
万能ねぎ……2本

A
- **マヨネーズ**……大さじ2
- コチュジャン……大さじ½
- おろしにんにく……少々
- ごま油・しょうゆ……各小さじ1

1　アボカドは2cm角に切る。万能ねぎは斜め薄切りにし、水にさらして水けをきる。

2　ボウルにAを入れて混ぜ、まぐろ、アボカドを加えてあえる。器に盛り、万能ねぎをのせる。

memo
マヨネーズと甘辛いコチュジャンで、奥行きのある味わいに。ビールのおともにもぴったり！

おもてなしの前菜にも活躍しそう
ミニトマトとほたてのピリ辛あえ

❖ 材料と作り方（2人分）

ほたて貝柱 …… 4個	塩・こしょう …… 各少々
ミニトマト …… 10個	レモン汁 …… 大さじ½
A **マヨネーズ** …… 大さじ2	サラダ油 …… 小さじ1
バジル（みじん切り）…… 2枝分	
スイートチリソース＊ …… 大さじ1	

＊なければ、豆板醤・砂糖各小さじ½で代用OK

1 ほたては塩、こしょうをふる。ミニトマトは半分に切る。

2 フライパンにサラダ油を熱し、ほたての両面を焼く。取り出して冷まし、食べやすく切ってレモン汁をふる。

3 ボウルにAを混ぜ、ミニトマト、2を加えてあえる。

memo
スイートチリソースの辛みと甘み、マヨネーズの酸味とコクが溶け合って、絶品ソースになりました。

ごぼうの食感とごま油の香りを堪能
ごぼうと万能ねぎのサラダ

❖ 材料と作り方（2人分）

ごぼう……1本
しょうゆ……小さじ2
万能ねぎ……5本
マヨネーズ……大さじ3
ごま油……小さじ1
白いりごま……少々

1. ごぼうは5～6cm長さのせん切りにする。たっぷりの湯で6～7分ゆで、ざるに上げてしょうゆをまぶし、冷ます。

2. 万能ねぎは5～6cm長さに切る。

3. ボウルにマヨネーズとごま油をよく混ぜ、1、2を加えてあえる。器に盛り、ごまをふる。

memo
独特の風味のあるごぼうとマヨは、実はとても相性のよい組み合わせ。ごま油で、香りと風味豊かに仕上げます。

混ぜるだけで美味ソースが完成します
じゃがいものなめたけマヨのせ

材料と作り方（2人分）

じゃがいも……2個
なめたけ（市販）……大さじ2
マヨネーズ……大さじ2
粗びき黒こしょう……少々

1 なめたけとマヨネーズはよく混ぜる。

2 じゃがいもは洗って皮つきのままラップに包み、電子レンジで6分ほど加熱する。2〜4つ割りにして器に盛り、1をかけ、黒こしょうをふる。

memo
味つけはなめたけとマヨネーズだけ。ほくほくのじゃがいもにたっぷりかけてめし上がれ！

野菜の風味を生かした、さわやかなサラダ

トマトときゅうりのクミン風味サラダ

❖ 材料と作り方（2人分）

トマト……1個
きゅうり……2本
紫玉ねぎ……¼個
ホールコーン……½カップ

A ┃ クミンパウダー（またはカレー粉）……小さじ1
┃ レモン汁……大さじ½
┃ 塩……小さじ¼

マヨネーズ……大さじ2

1　トマトは1.5cm角に切る。きゅうりは縦4つ割りにし、1.5cm幅の小口切りにする。玉ねぎはみじん切りにする。

2　ボウルに1とコーンを合わせてAであえ、マヨネーズを加え混ぜる。

memo
小さめに切った野菜が、調味料とよくからみます。クミンのスッとした香りで、食欲のないときにも箸がすすむ一品に。

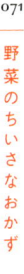

濃厚なマヨ味をレモンの酸味でキリッと引き締めます
ブロッコリーとじゃがいもの
レモンマヨサラダ

❖ 材料と作り方（2人分）

ブロッコリー ···· ½株	A │ レモン汁 ···· 大さじ½
じゃがいも ···· 1個	│ 塩・こしょう ···· 各少々
マヨネーズ ···· 大さじ2	
おろしにんにく ···· ⅓片分	

1　ブロッコリーは小房に分ける。じゃがいもはひと口大に切る。

2　じゃがいもをたっぷりの水とともに鍋に入れ、強火にかける。煮立ったら火を弱め、6〜7分ゆでる。ゆで上がる1分前にブロッコリーを加え、いっしょにざるに上げる。ボウルに入れ、Aを加え混ぜ、冷ます。

3　マヨネーズとにんにくをよく混ぜ、2とあえる。

memo　さわやかなのにあとひくおいしさの秘密は、おろしにんにく。少量ですが、このひと手間が料理の完成度を高めます。

わさびのツンとした辛さがマイルドに

長いものりわさびマヨのせ

❖ 材料と作り方（2人分）

長いも …… 10cm

A | マヨネーズ …… 大さじ2
 | のりの佃煮（市販）…… 大さじ½
 | 練りわさび …… 小さじ1

刻みのり …… 適量

1. 長いもは皮をむき、7〜8mm幅の輪切りにする。
2. 1を器に盛り、よく混ぜたAをかけ、のりを散らす。

memo
のりの佃煮やわさびなど、和の素材をマヨネーズで食べやすくまとめました。日本酒のアテにもぴったりです。

きゅうりはたたいて、味をからみやすくします

きゅうりとザーサイのピリ辛サラダ

- 材料と作り方（2人分）

きゅうり⋯⋯ 2本
ザーサイ（味つき）⋯⋯ 30g
A｜マヨネーズ⋯⋯ 大さじ1
　｜ラー油⋯⋯ 小さじ1
　｜しょうゆ⋯⋯ 小さじ½

1. きゅうりはめん棒でたたいて割り、ひと口大に切る。
2. ボウルにAをよく混ぜ、1、ザーサイを加えてあえる。

memo
あっさりしたきゅうりには、はっきりとした味つけを。コクのあるマヨに、ザーサイの塩けやラー油でパンチを効かせます。

からしを効かせたマヨと、香味野菜を合わせて
ちくわと玉ねぎのからしマヨサラダ

❖ 材料と作り方（2人分）

ちくわ……4本
紫玉ねぎ……½個
マヨネーズ……大さじ3
練りがらし……大さじ½
青じそ(せん切り)……5枚分

1. 玉ねぎは薄切りにし、水にさらす。ちくわは1cm幅の輪切りにする。
2. マヨネーズとからしをよく混ぜ、ちくわを加えてあえる。
3. 水けを絞った玉ねぎ、2の順に器に盛り、青じそをのせる。

> **memo**
> 手軽に作れる気のきいた一品です。うまみの強いちくわは、からしをしっかり効かせたマヨともよく合います。

彩りもきれい、さわやかなひと皿
トマトのマヨアンチョビサラダ

❖ 材料と作り方(2人分)

トマト……2個
紫玉ねぎ……¼個
白ワインビネガー……小さじ2
A アンチョビフィレ(みじん切り)……3枚分
　　マヨネーズ……大さじ2
粗びき白こしょう……少々

1　トマトはひと口大に切る。玉ねぎは薄切りにし、ワインビネガーをふる。

2　ボウルにAをよく混ぜ、トマト、水けを絞った玉ねぎを加えてあえる。器に盛り、白こしょうをふる。

memo
アンチョビの塩けやワインビネガーの酸味を、マヨネーズがまるく包み込みます。

ちょこっと小腹がすいたときには
パクッとつまめるマヨの軽食

晩ごはんまではまだ時間があるけれど、
少しだけ何かつまみたいなぁ…そんなときに。
学校帰りのこどものおやつにも、ぴったりです。

❖ 材料と作り方（2個分）

ごはん……160g
A｜マヨネーズ……小さじ1
　｜削り節……2パック
　｜しょうゆ……小さじ½
焼きのり（全形）……½枚

> 定番のおかかしょうゆに、マヨネーズをプラス。まろやかでやさしい口あたりに。

1　Aはよく混ぜ、少量取り分けておく。

2　ごはんを2等分し、中央をくぼませてAを半量ずつのせる。手に水、塩（分量外）をつけて三角形ににぎる。半分に切ったのりを巻き、取り分けておいたAをのせる。

おかかのこっくりおにぎり

定番の具も、マヨネーズで新鮮アレンジ

❖ 材料と作り方（2個分）

ごはん　　160g

A | **マヨネーズ**　小さじ1
　| しらす　大さじ3
　| 白いりごま　大さじ1

ごはんによく合うしらすを混ぜ、おにぎりに。たっぷりのごまとマヨネーズで、香ばしさとコクをアップ。

1　ごはんにAを加え混ぜ、2等分する。手に水、塩（分量外）をつけて丸くにぎる。

2　熱したフライパンに1を並べ入れ、両面をこんがりと焼く。

マヨしらすの焼きおにぎり

フライパンで香ばしく焼き目をつけて

軽食

ジューシー肉まん

❖ 材料と作り方（4個分）

●肉まんの皮

A ｜ 強力粉・薄力粉 …… 各50g
　｜ ベーキングパウダー …… 小さじ½

B ｜ ドライイースト …… 小さじ½
　｜ 砂糖 …… 大さじ1
　｜ ぬるま湯 …… ¼カップ
　｜ サラダ油 …… 小さじ½

●肉まんのたね

豚ひき肉 …… 100g
干ししいたけ
　（もどしてみじん切り）…… 2枚分
長ねぎ（みじん切り）…… ¼本分

C ｜ **マヨネーズ** …… 小さじ1
　｜ しょうがの絞り汁・しょうゆ・
　｜ 　ごま油 …… 各大さじ½
　｜ 塩 …… 小さじ¼

1. Aはふるっておく。ボウルにBを入れて混ぜ、Aをふるい入れてさらに混ぜる。ひとまとまりになったら台に取り出し、5～6分手でこねる。ボウルに戻し、水でぬらしてかたく絞ったふきんをかけて温かいところ(30～40℃)に30～60分おく。1.5倍の大きさになればOK。

2. ひき肉、Cを別のボウルに入れて練り混ぜ、しいたけ、ねぎを加え混ぜ、4等分する。

3. 1を取り出して棒状にのばし、4等分する。めん棒で丸くのばして2をのせ、ひだを作るように包む。10cm角に切ったオーブンシートにのせて、水けをかたく絞ったふきんをかけ、温かいところに20分ほどおく。

4. 蒸気の上がった蒸し器に3を入れ、強火で10分蒸す。

マヨピザまん

❖ 材料と作り方（4個分）

肉まんの皮 …… 上記参照

●マヨピザまんのたね

ハム（みじん切り）…… 4枚分
玉ねぎ（みじん切り）…… ¼個分
ピザ用チーズ …… 50g
マヨネーズ …… 大さじ½
トマトケチャップ …… 大さじ1

1. ジューシー肉まんの作り方1と同様に皮を作る。

2. たねのすべての材料を混ぜ合わせ、4等分する。

3. ジューシー肉まんの作り方3と同様にたねを皮で包み（たねを少量残しておき、包むときに上にのせる）、作り方4と同様に蒸す。

軽食

もっちりした手作りの皮から
肉汁がジュワッ!

column

マヨネーズの雑学 Q&A

知っているようで知らなかったマヨのあんなこと、こんなこと。
お役立ち豆知識を、ご紹介しちゃいます。

Q マヨの保存はどこでする?

A 未開封のものは、直射日光を避け、なるべく涼しい場所で保存を。開封後は、冷蔵庫のドアポケットへ。1か月くらいを目安に使いきるのが理想です。残り少なくなったら、ボトルに空気を入れて逆さにして立てておくときれいに使いきれます。また、0℃以下だと油が分離してしまうので、冷凍保存は避けましょう。

Q 捨てる前にどうやって洗う?

A 使いきったマヨネーズのボトルは、ゴミとして捨てる前に水でよくすすいでください。お湯や洗剤を使わなくてもきれいになります! ちなみにキユーピー マヨネーズのボトルは、燃焼してもダイオキシンを発生しないポリエチレン製です。

Q 賞味期限と保存期限は、どう違うの?

A 賞味期限とはメーカーが設定した、「おいしく食べられる期限」の目安。また保存期限は、良好な条件下ではありますが、「保存が可能な期限」の目安。通常、賞味期限より長くなります。ちなみに、キユーピー マヨネーズの賞味期限は、未開封のポリボトル入りで製造後10か月、瓶入りで1年です。

Q 一度に多めに使いたいときは?

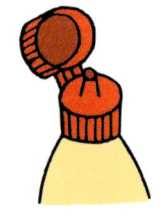

A 意外に気がついていない人も多いのですが、キユーピー マヨネーズのキャップはダブルキャップ! 上ぶたをポンと開けると細く絞ったり、デコレーションするのにぴったりな細口に。キャップをはずすと、たっぷり使える星形になります。

chapter 3

マヨネーズがあれば主役級のおいしさに!
ひと皿ごはんと麺

ごはんや麺だってマヨネーズを上手に使えば
手軽にコクがプラスできて深〜い味わいに。
ひと皿で満足できる、充実のレシピが完成します。
ピラフをぱらぱらに、オムライスをふんわり! など
マヨを加えることでグッとおいしくなる
テクニックもご紹介しちゃいます。

かにかまと野菜でヘルシーに。彩りもきれい!
サラダのり巻き

❖ 材料と作り方(2本分)
ごはん……400g
きゅうり……½本
かいわれ……½パック
かに風味かまぼこ……4本
焼きのり(全形)……2枚
マヨネーズ……大さじ1
ごま油……小さじ1
塩……小さじ¼

1 きゅうりは縦4等分に切る。かいわれは根元を落とす。

2 ラップを広げてのりを1枚のせ、全体にごま油と塩の各半量を塗る。ごはんの半量をのりの奥側3cmを残して平らに広げる。手前側、一文字にマヨネーズの半量を絞り、かにかま、きゅうり、かいわれの各半量をのせて巻く。

3 ラップを除き、食べやすく切る。もう1本も同様に作る。

memo
ラップを使えば、巻きすいらず。手軽にのり巻きが作れます。のりにごま油を塗り、塩をふるのがポイント。お好みでさらにマヨネーズを絞ってもおいしいです。

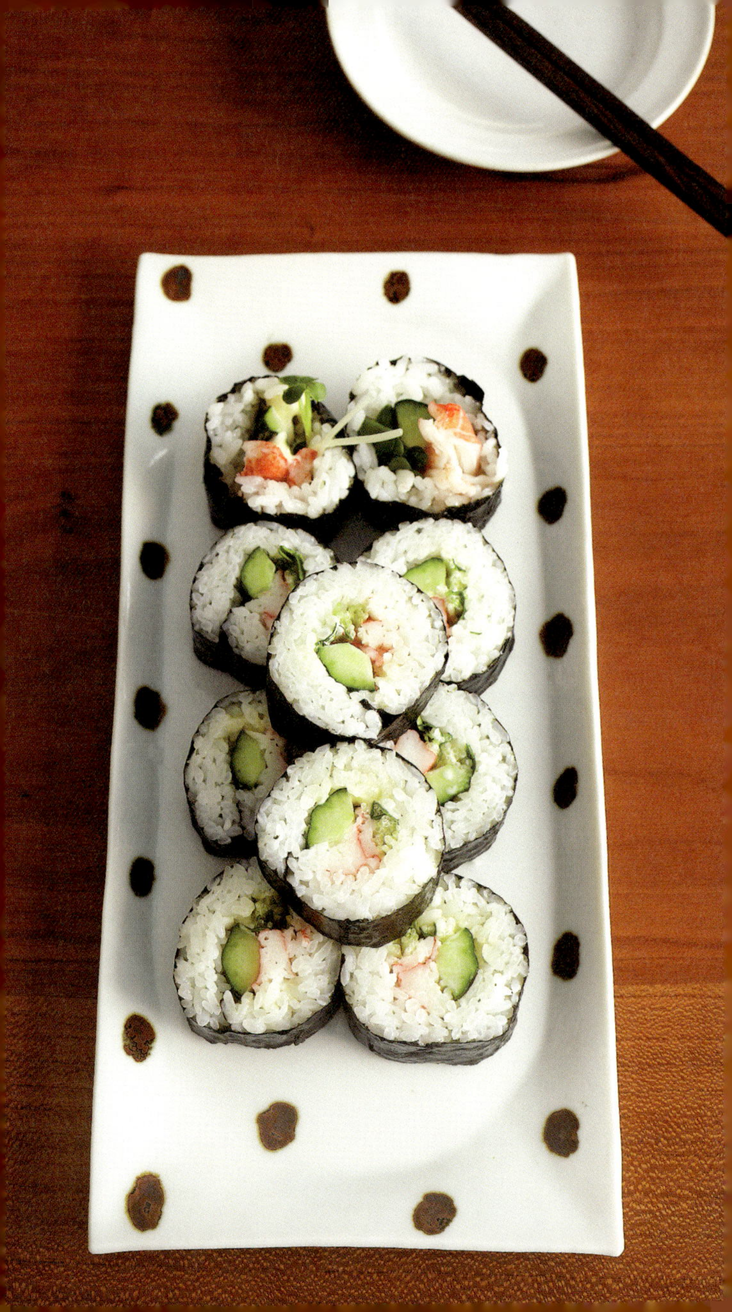

仕上げにしょうゆを加えて香りよく
鮭フレークレタスチャーハン

❖ 材料と作り方(2人分)

ごはん …… 300g
鮭フレーク(市販) …… 40g
長ねぎ(みじん切り) …… 1/3本分
レタス(ざく切り) …… 1/2個分
マヨネーズ …… 大さじ2
しょうゆ …… 小さじ1

1 フライパンにマヨネーズを入れてから、中火にかける。半分溶けたら、ねぎを加えて炒める。ごはんを加えてさらに炒め、パラパラになったら鮭フレークを加えて全体を混ぜる。

2 レタスを加えて炒め合わせ、しんなりしたらしょうゆを加え混ぜる。

> **memo**
> マヨネーズを使って炒めると、ごはんがパラリと仕上がります。マヨは必ず火にかける前にフライパンに加えて。

混ぜて、炊くだけ!
ぱらぱらマヨピラフ

❖ 材料と作り方（2〜3人分）

米 …… 2合

A
- **マヨネーズ** …… 大さじ2
- 塩 …… 小さじ1/2
- 白ワイン …… 大さじ1

B
- 玉ねぎ（みじん切り） …… 1/4個分
- ホールコーン …… 1/4カップ
- にんじん（みじん切り） …… 1/3本分
- ミニトマト …… 6個
- ベーコン（みじん切り） …… 4枚分

粗びき黒こしょう …… 少々

1. 米は洗って水360mlに30分浸す。Aを加え混ぜ、Bをのせて炊飯器で普通に炊く。

2. 炊き上がったら全体を混ぜて器に盛り、黒こしょうをふる。

memo
マヨネーズをいっしょに炊き込むことで、米がべったりせず、パラッとしたピラフに。うまみとコクをたっぷり味わえます。

卵ふわふわ！ その秘密はマヨネーズにあり

ふんわりオムライス

❖ 材料と作り方（2人分）

ごはん……300g
鶏むね肉（1cm角切り）……½枚分
玉ねぎ（みじん切り）……¼個分
A ┃ トマトケチャップ……大さじ4
　┃ オイスターソース……大さじ1
　┃ しょうゆ……小さじ1
B ┃ **マヨネーズ**……大さじ2
　┃ 卵……4個
　┃ 牛乳……大さじ2
　┃ 塩・こしょう……各少々
塩・こしょう……各少々
白ワイン……大さじ2
サラダ油……大さじ½
バター……10g

1 フライパンにサラダ油を熱し、玉ねぎを炒める。しんなりしたら鶏肉を加え、肉の色が変わったら塩、こしょうをふり、白ワインを加えてアルコールを飛ばす。Aを加えて2〜3分煮詰め、全体につやが出たらごはんを加えて、パラリとするまで炒める。

2 ボウルにBをよく混ぜる。直径20cmのフライパンにバターの半量を溶かしてBの半量を流し入れ、弱火にして大きく混ぜる。ヨーグルトくらいの半熟状になったら1の半量を中央にのせ、両側から卵をかぶせる。フライパンを揺すって奥側に寄せ、卵の合わせ目が下になるように返して器に盛る。もうひとつも同様に作る。

3 好みでケチャップをかけ、塩ゆでしたブロッコリー（ともに分量外）を添える。

memo

あらかじめ、卵にマヨネーズを混ぜておくと、ふんわりとやわらかく仕上がります。半熟のうちにチキンライスを包んで。

めんつゆにマヨを合わせた新鮮アレンジ
大根と油揚げのサラダそば

❖ 材料と作り方（2人分）

そば —— 1玉
大根 —— 10cm
油揚げ —— 1枚
わかめ（塩蔵）—— 30g
わけぎ —— 3本

A
| マヨネーズ —— 大さじ2
| めんつゆ（ストレート）—— ½カップ
| おろしわさび —— 小さじ1

1　大根はスライサーなどでせん切りにする。油揚げは1cm角に切り、フライパンでカリッとするまで焼く。わかめは洗って5分ほど水に浸し、ひと口大に切る。わけぎは薄い小口切りにする。Aはよく混ぜる。

2　鍋にたっぷりの湯を沸かし、そばを袋の表示通りにゆでる。ゆで上がる2分前に大根を加えていっしょにゆで、ともにざるに上げ、冷水にとって水けをよくきる。

3　器に2を盛り、わかめ、油揚げ、わけぎをのせ、Aをかける。

memo
大根やわかめでヘルシーにボリュームアップ！野菜と相性のいいマヨが、味のまとめ役になっています。

マヨネーズで酢じょうゆをまろやかに
たっぷり野菜の冷やし中華風

❖ 材料と作り方（2人分）

中華生麺……2玉
卵……2個
キャベツ（せん切り）……4枚分
A { にんじん（せん切り）……½本分
　　きゅうり（せん切り）……1本分
　　ハム（せん切り）……2枚分 }

塩・サラダ油……各少々
ごま油……小さじ1
B { **マヨネーズ**……大さじ2
　　しょうゆ……大さじ1
　　酢……大さじ1と½
　　砂糖・練りがらし・
　　　ごま油……各小さじ1 }

1　卵に塩を加えて溶きほぐす。フライパンにサラダ油を薄くひいて熱し、卵液の半量を流し入れる。火が通ったら返し、裏面もサッと焼く。残りも同様に焼き、取り出して粗熱をとり、せん切りにする。

2　鍋にたっぷりの湯を沸かし、中華麺とキャベツを入れ、いっしょにゆでる。冷水にとって水けをよくきり、ボウルに入れる。ごま油をまぶして器に盛り、A、1をのせ、よく混ぜたBをかける。

memo
酸味の中にもコクがあるマヨネーズを、たれに混ぜ込んで隠し味に。

人気パスタに、カラフル野菜をトッピング

アスパラとパプリカの明太マヨパスタ

❖ 材料と作り方（2人分）

スパゲッティ …… 150g
明太子（薄皮を除く）…… 1腹
アスパラガス …… 4本
パプリカ（赤）…… 1個
A | マヨネーズ …… 大さじ2
　| バター …… 10g
　| おろしにんにく …… 少々
塩 …… 少々

1　アスパラは根元の堅い皮を除き、4cm長さに切る。パプリカは4cm長さの細切りにする。

2　鍋に1.5ℓの湯を沸かし、塩を加え、スパゲッティを袋の表示時間より1分短くゆでる。ゆで上がる2分前に1を加えていっしょにゆで、ざるに上げる。

3　ボウルに明太子、Aをよく混ぜ、水けをきった2を加えてあえる。

memo
明太子とマヨネーズに、バターとにんにくを加えて風味をアップ！スパゲッティと野菜をいっしょにゆでるから効率も◎。

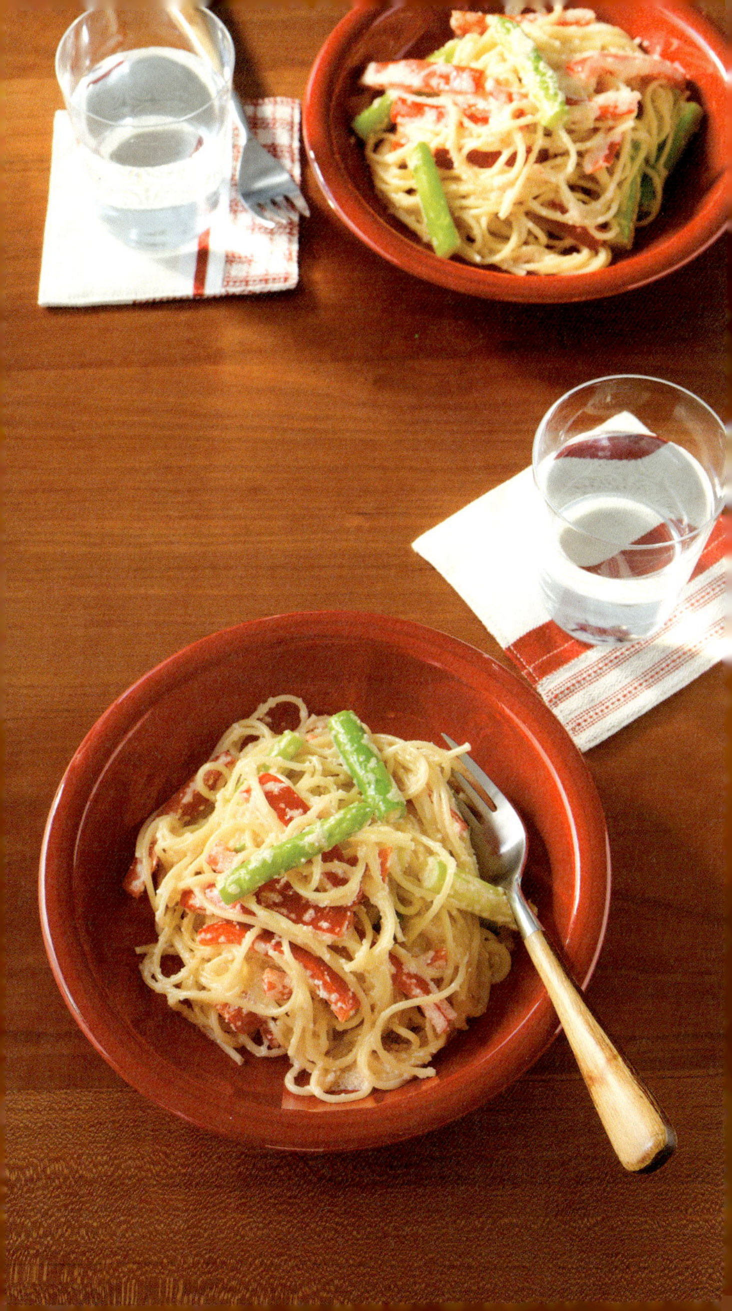

さわやかなバジルとマヨネーズのコクを楽しんで
ツナとバジルのパスタ

❖ 材料と作り方（2人分）
スパゲッティ —— 160g
キャベツ（ざく切り）—— 4枚分
ライトツナフレーク —— 1パック
A｜バジル（みじん切り）—— 2枝分
　｜**マヨネーズ** —— 大さじ3
　｜おろしにんにく —— ½かけ分
　｜オリーブオイル —— 大さじ2
　｜塩・こしょう —— 各少々
塩 —— 大さじ1

1　鍋に1.6ℓの湯を沸かし、塩を加え、スパゲッティを袋の表示時間より1分短くゆでる。ゆで上がる5分前にキャベツを加えていっしょにゆで、ざるに上げる。

2　ボウルにツナ、Aをよく混ぜ、水けをきった1を加えてあえる。あればバジルの葉（分量外）を飾る。

> **memo**
> マイルドな風味はマヨネーズならでは。Aの材料はバジルをみじん切りせず、まとめてフードプロセッサーにかけてもOKです。

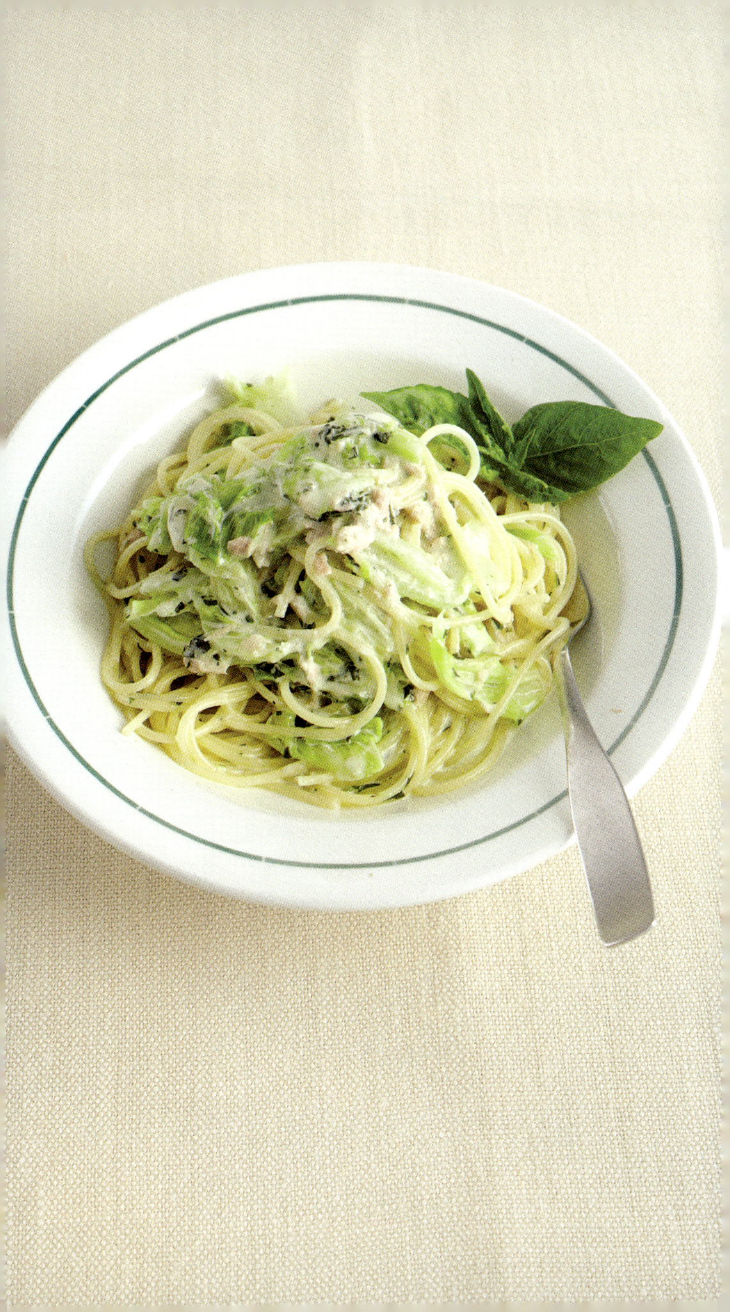

シンプルだけれど、あとをひくおいしさ
ちくわと玉ねぎの マヨ焼きそば

❖ 材料と作り方（2人分）
中華蒸し麺（焼きそば用）── 2玉
ちくわ ── 2本
玉ねぎ ── ½個
マヨネーズ ── 大さじ1
焼き肉のたれ ── 大さじ4
サラダ油 ── 大さじ1
白いりごま ── 適量

1 中華麺は袋を少し破り、電子レンジで2分加熱する。ちくわは薄い輪切りに、玉ねぎは薄切りにする。

2 マヨネーズと焼き肉のたれはよく混ぜる。

3 フライパンにサラダ油を熱し、ちくわ、玉ねぎを炒める。全体に油がまわったら麺を加えてほぐし、2を加えて炒め合わせる。器に盛り、ごまをふる。

memo
フライパンに加える前に、マヨネーズと焼き肉のたれは小さな器に混ぜておいて。スムーズに調理でき、味ムラを防ぎます。

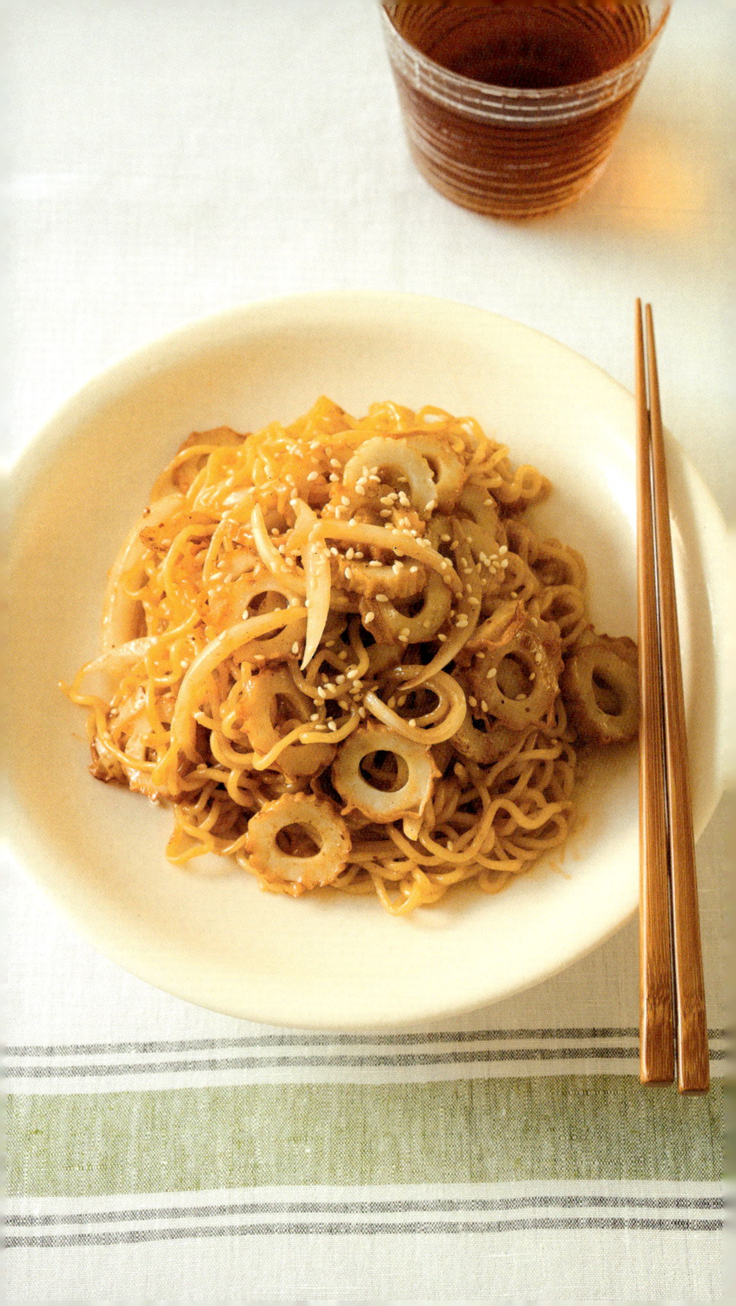

マヨネーズができるまで

いまや日本人の食生活には欠かせない調味料として
親しまれているマヨネーズ。
わたしたちの家庭に届くまでを、のぞいてみましょう!

マヨネーズは何からできている?

マヨネーズの原材料は卵、植物油、醸造酢と、とてもシンプル。使用できる原料はJAS規格で厳しく定められていて、着色料、保存料、増粘剤などは一切使用していません。おいしいマヨネーズは、よい材料があってこそ。マヨネーズの主な原料…卵、油、酢へのこだわりを探っていきましょう。

植物油 70%
卵黄 醸造酢 調味料 香辛料 30%

コクとおいしさの決め手!
卵

∴ キユーピー マヨネーズは卵黄だけ!

キユーピー マヨネーズは卵黄だけを使用。全体の15%が卵黄なので、500g入りのボトルにMサイズの卵黄4個が使われていることになります。こっくりとした濃厚なおいしさは、たっぷりの卵黄のたんぱく質から生まれるアミノ酸、ペプチドがうまみを強くするから。また、マヨネーズのなめらかな食感も、卵と油によるものです。

∴ 鮮度のよさが自慢です!

卵黄だけを使うので、卵から卵黄を取り出し、卵白を除かなければいけません。ところが卵は新鮮でないと卵黄と卵白がきれいに分離しないのです。だから卵の新鮮さは必須条件! 鮮度を調べるためにいくつかのチェックをしますが、「卵黄の持ち上げテスト」もそのひとつ。卵黄の上を親指と人差し指で約1cmの間隔でつまみ、高さ20cmまで持ち上げ、5秒間こわれないかどうかで鮮度を確認します。

味に深みとマイルド感を与える
植物油

菜種油と大豆油を独自にブレンド

マヨネーズの原料のうち、70%を占めている植物油。3大栄養素のひとつ、脂質を含み、品質と味のおおもとにもなっています。キユーピー マヨネーズでは、脂肪酸の栄養バランスと安定的な供給を考慮して、おもに菜種油と大豆油をブレンドして使っています。

生で食べる油だから細心の注意を

植物油は、普通は炒めものや揚げものなど、加熱して食されるもの。ところがマヨネーズの場合、そのまま生でも食されるので、特に厳しい基準に基づいて、品質、製造工程まで細かくチェックしています。油の品質を維持するため、輸送も自社グループでおこなっています。

酸味とうまみのカギをにぎる
醸造酢

酸味だけじゃない！酢のさまざまな働き

酢はマヨネーズの酸味の決め手であると同時に、細菌の繁殖を抑え、防腐効果を高める働きをしています。また、酢の主成分である酢酸は血管を拡張させるため、血圧上昇を抑える効果も。血糖値を低下させる効果や、疲労回復効果もあるといわれています。

商品の質を左右する酢と植物油の相性

ひと口に酢といっても、米やワイン、くだもの、穀物など、原材料はさまざま。おいしいマヨネーズを作るには、厳選した材料で作られた酢であることはもちろんですが、それだけでなく「酢と油の相性のよさ」も大切。特にうまみのポイントは酢にあるということがキユーピーの長年の研究でわかってきました。キユーピーでは醸造酢にこだわり、りんご果汁やモルトなどの原料を独自の技術で醸造した、マヨネーズのための専用酢を使用しています。

マヨネーズはこうして作られています

キユーピーでは全国8つの工場でマヨネーズを作っています。厳選した材料を使って作られるマヨネーズ。どんなふうに作られているのか、ちょっとのぞいてみましょう。

原材料受け入れ

植物油を工場のオイルタンクへ搬入します。

原材料検査

卵は熟練した担当者が鮮度と品質をチェック。植物油や酢も官能検査や化学検査を経て、タンクからパイプで生産ラインへ送られます。

割卵

独自に開発した割卵機で1分間に600個というスピードで卵を割り、卵黄だけを取り出します。また、この機械は2時間ごとに洗浄され、衛生面に配慮しています。

調合

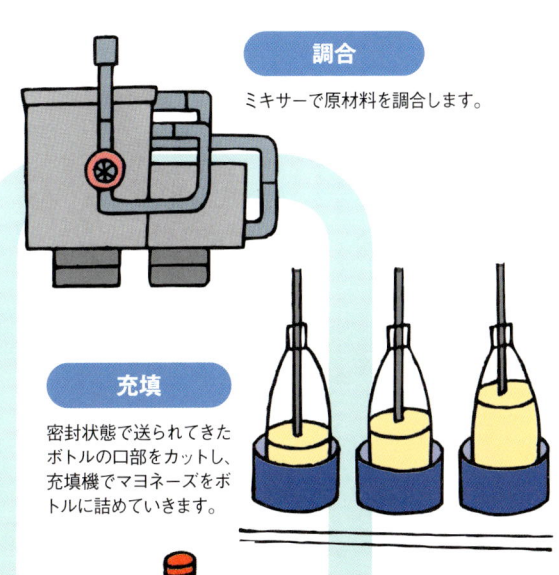

ミキサーで原材料を調合します。

充填

密封状態で送られてきたボトルの口部をカットし、充填機でマヨネーズをボトルに詰めていきます。

キャップじめ

マヨネーズの大敵は酸化。酸化を防ぐために、ボトルの中に残った空気を窒素に置換してから機械でキャップをしめます。

卵の殻もムダなく利用！

キユーピーグループから発生する卵の殻は、1年間で約2万5000tにものぼります。キユーピーでは、カルシウムが多く含まれる殻は、すべてをカルシウム強化食品や肥料に再利用。殻の内側にある薄膜（卵殻膜）は化粧品の原料や繊維に配合。卵白は菓子やかまぼこ、ハムに利用されています。

印字

ボトルキャップに賞味期限を印字します。外袋をはずしても賞味期限が確認できて便利！

包装

外袋に詰めて包装します。

箱詰め

効率よく箱に詰めます。この作業もロボットがおこないます。

出荷

工場内の物流センターからトラックに積み込み、出荷。ここからスーパーなどに並び、わたしたちの食卓へと届きます。

おいしさの敵は、酸素！

酸素は植物油を酸化させ、風味を劣化させてしまいます。そこでキユーピーでは、植物油中の酸素を取り除く製法を開発したり、ボトルの口部にアルミシールをつけて外部から酸素が入るのを防ぐなど、さまざまな工夫をしています。酸素を通しにくい樹脂層をはさみ込んだ多層構造のボトルも、そのひとつです。

chapter 4

マヨのこっくり味がお酒に合う!
カンタンおつまみ

ビールやワインのおともには、
ちょっぴりパンチの効いたつまみがほしくなるもの。
マヨネーズがあれば、気軽に作れちゃいますよ。
素材の味がグンと引き立つおつまみで、
家飲みがもっと楽しくなることうけあい!
人が集まるときの一品にも、おすすめです。

カラリと揚げたポテトをバージョンアップ
フライドポテトの
ガーリックマヨかけ

❖ 材料と作り方（2人分）

じゃがいも……2個
A | **マヨネーズ**……大さじ2
　| おろしにんにく……½片分
　| 牛乳……大さじ1
塩……少々
揚げ油……適量

1 じゃがいもは皮つきのまま、8～10等分のくし形切りにする。ラップをして電子レンジで5分ほど加熱する。

2 揚げ油を170℃に熱し、1を5～6分かけてこんがりと揚げる。網にとって塩をふる。

3 器に盛り、よく混ぜ合わせたAをかける。

memo
マヨネーズににんにくの風味を足して、牛乳でのばした簡単ソース。意外にさっぱりしているので、揚げものにぴったりです。晩酌のおともはもちろん、こどものおやつにも喜ばれそう。

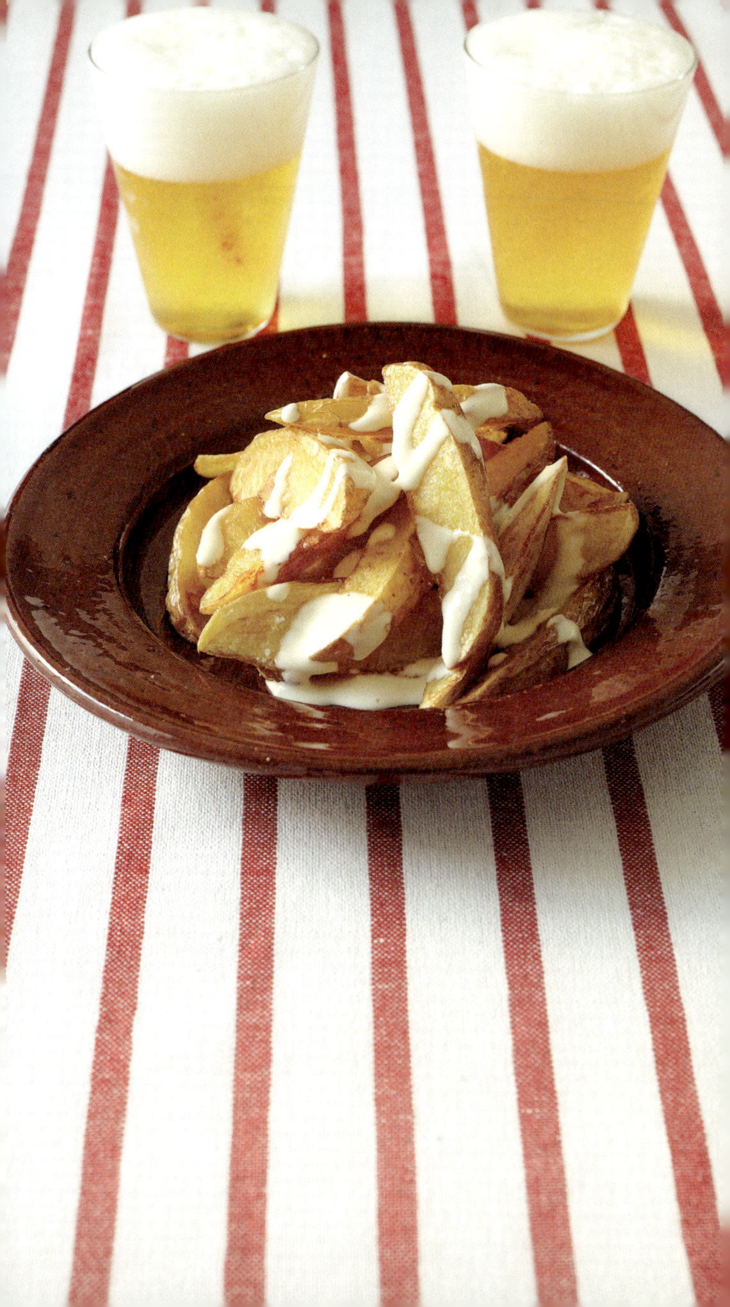

具をはさんだワンタンをカリッと揚げて
たらこマヨの揚げワンタン

❖ 材料と作り方（2人分）
たらこ（薄皮を除く）……½腹
長ねぎ（みじん切り）……½本分
マヨネーズ……大さじ½
ワンタンの皮……16枚
揚げ油……適量

1 たらこ、ねぎ、マヨネーズを混ぜ合わせ、ワンタンの皮に等分にのせる。皮の端に水をつけ、半分に折って空気を抜きながら三角形にし、端を押さえてとめる。

2 揚げ油を170℃に熱し、1を2～3分かけてカリッと揚げる。

memo
たらこマヨに、たっぷりのねぎがアクセント。ワンタンの中からあつあつの具材が登場します。包むときに空気を抜くのが、カリカリに仕上げるコツ。ビールにぴったりの軽いおつまみです。

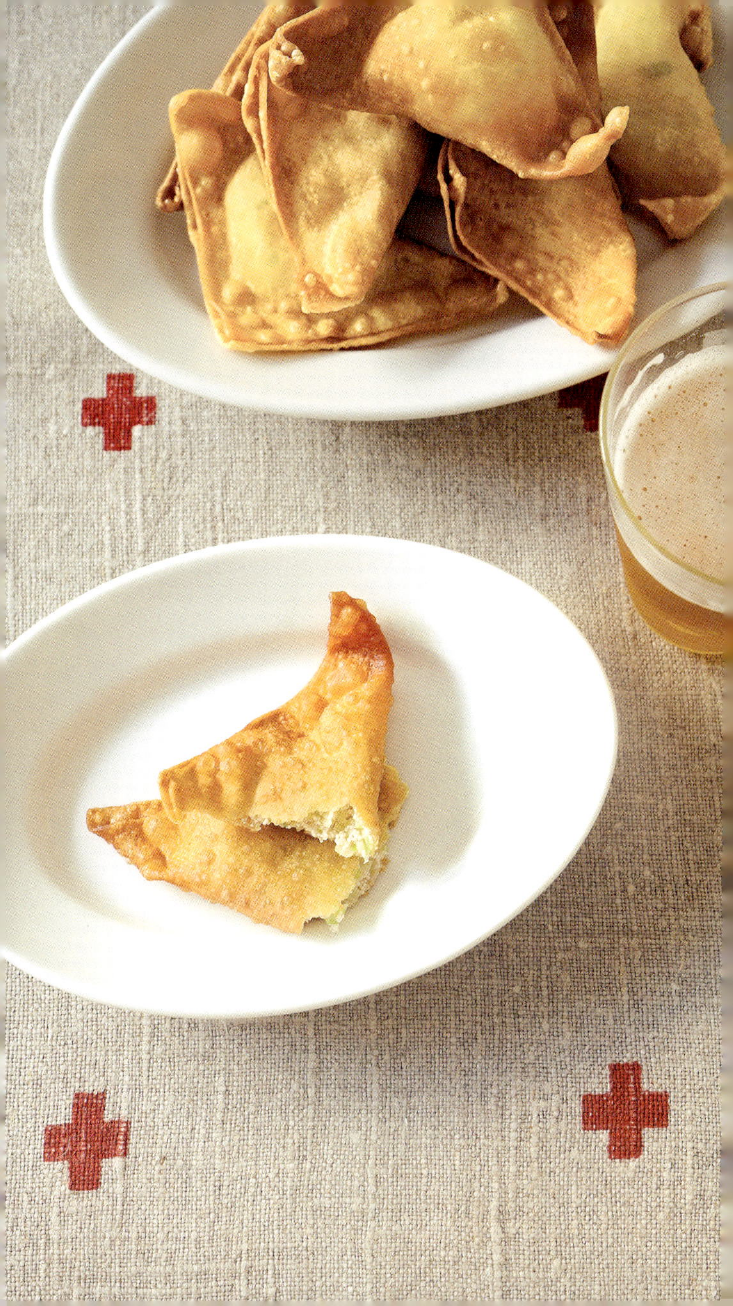

冷えた白ワインと合わせたい、おしゃれなおつまみ

ほたてときのこの にんにくパン粉焼き

❖ 材料と作り方（2人分）

ほたて貝柱 …… 4個
生しいたけ …… 6枚

A
| **マヨネーズ** …… 大さじ3
| バター …… 20g
| パセリ（みじん切り）…… 大さじ2
| にんにく（みじん切り）…… 1片分
| パン粉 …… 大さじ3

1 しいたけは軸は取り、石づきを除く。軸はみじん切りにする。Aと軸のみじん切りをよく混ぜる。

2 ほたてと、しいたけのかさの部分に1を等分にのせる。オーブントースターで7〜8分焼く。

memo

フランス料理のエスカルゴに合わせるソースを、マヨでアレンジ。コクは残しつつ、酸味であと味を軽く仕上げます。パセリとにんにくの風味もたまりません！

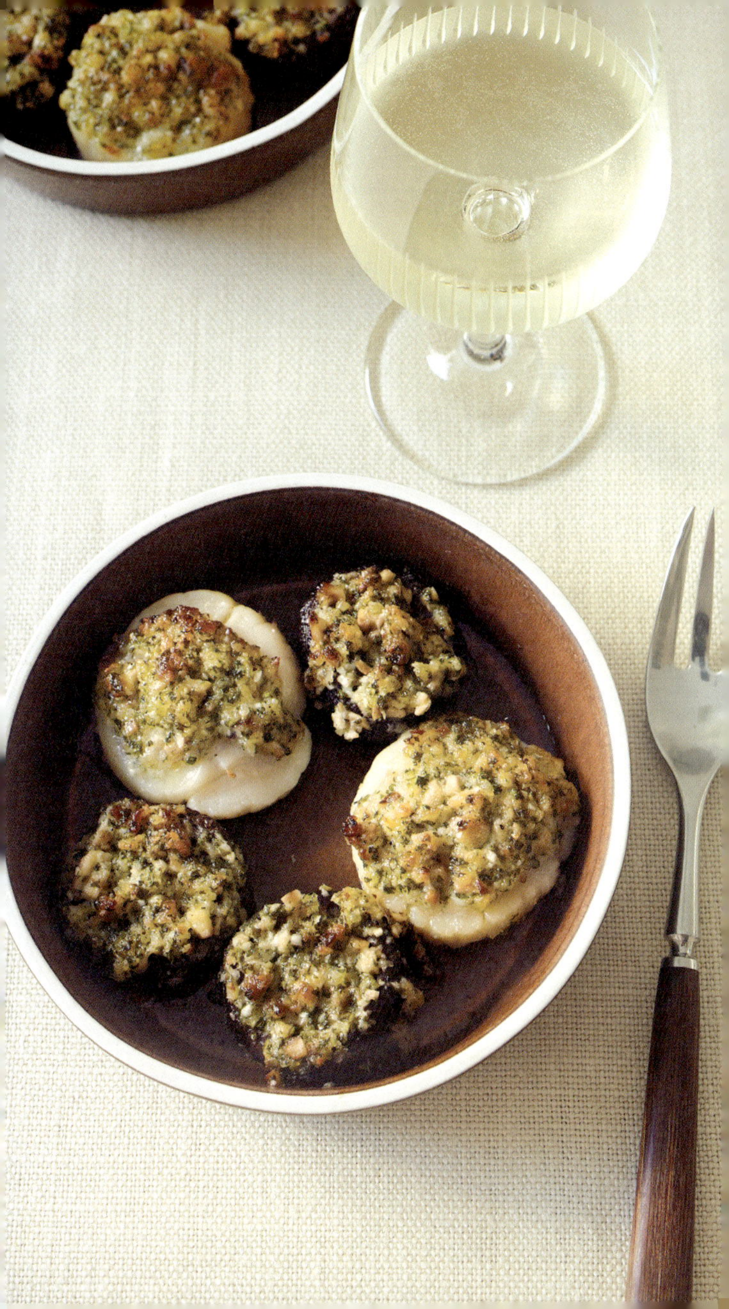

あつあつトローリ！ のチーズがうれしい

油揚げの
モッツァレラ詰め焼き

❖ 材料と作り方（2人分）

油揚げ ⋯⋯ 1枚
A｜マヨネーズ ⋯⋯ 大さじ½
　｜モッツァレラチーズ ⋯⋯ 100ｇ
　｜青じそ ⋯⋯ 5枚
しょうゆ ⋯⋯ 小さじ1

1　油揚げは長さを半分に切り、指を入れて開き、袋状にする。Aのモッツァレラは2cm角に、青じそはみじん切りにする。

2　Aを混ぜ合わせて油揚げに等分に詰め、口をようじでとめる。

3　グリルを熱し、2の両面を弱火でこんがりと焼く。仕上げにはけでしょうゆを塗り、サッと焼いて香りを立たせる。

memo
あっさりしたモッツァレラに、マヨネーズを合わせて食べごたえをアップさせます。青じそでさわやかな香りも添えています。

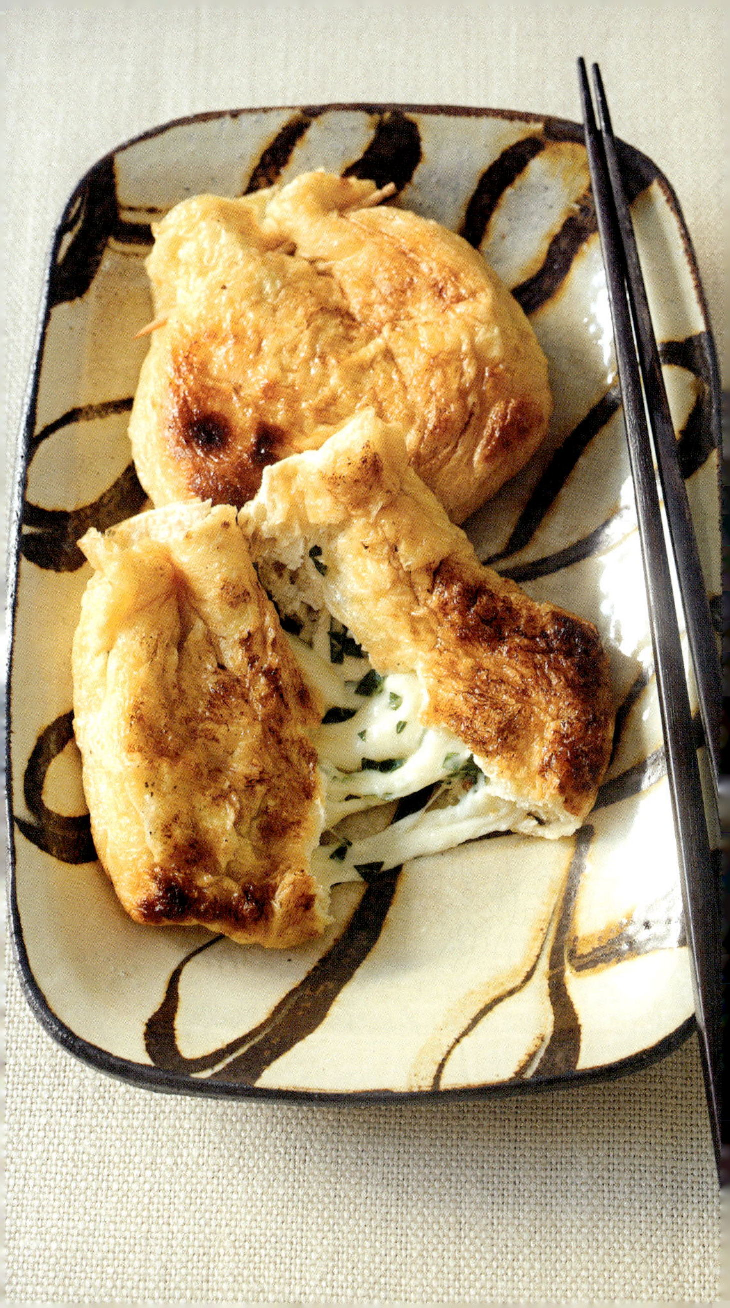

簡単＆スピーディな絶品おつまみ
ちくわのおかかマヨあえ

❖ 材料と作り方（2人分）

ちくわ……2本
みょうが……2個
A
- **マヨネーズ**……大さじ2
- 削り節……1パック（5g）
- 練りわさび……小さじ1
- しょうゆ……小さじ½

1 ちくわとみょうがは薄い小口切りにする。

2 ボウルにAをよく混ぜ、1を加えてあえる。

memo
ちくわとマヨネーズの濃厚なうまみを、スッとした香りのみょうがや、キリリとした辛さのわさびで引き締めます。

さわやかな風味に思わず手がのびる
梅香味野菜のきゅうりのせ

❖材料と作り方(2人分)

きゅうり……1本

A
- **マヨネーズ**……大さじ½
- 梅肉……大さじ1
- みょうが……2個
- 青じそ……5枚

1. きゅうりは長さを半分に切り、縦半分に切る。Aのみょうがと青じそはみじん切りにする。

2. Aをよく混ぜ、きゅうりに等分にのせる。

memo
梅肉だけでなく、みょうがや青じそなどたっぷりの薬味をマヨネーズでまとめて。とがった酸味がまるくなります。

たっぷりの油分でしっかり火を通します
えびのガーリックオイル煮

❖ 材料と作り方（2人分）

えび（無頭）……300g

A
| マヨネーズ……大さじ3
| オリーブオイル……大さじ2
| にんにく（みじん切り）……1片分
| 赤唐辛子（小口切り）……1本分

1. えびは殻をむき、背ワタを除く。Aはよく混ぜる。
2. フライパンに1を合わせ、中火で3分ほど煮る。

memo
バルのおつまみ、アヒージョのような一品。オリーブオイルにマヨネーズを合わせると、ほのかな酸味となめらかさが加わり、グッと奥深い味わいになります。

こんがり、みそマヨの焦げ目も香ばしい
はんぺんピザ

❖ 材料と作り方（2人分）

はんぺん……1枚
A │ **マヨネーズ**……大さじ2
　│ みそ……小さじ1
　│ しょうが（みじん切り）……小さじ1
万能ねぎ（斜め薄切り）……2本分

1　はんぺんは格子状に切り目を入れる。

2　Aをよく混ぜ合わせ、1の上にのせ広げ、オーブントースターで3〜4分、こんがりと色づくまで焼く。

3　器に盛り、万能ねぎを散らす。

memo
オーブントースターで焼くと、ふんわりふくらむはんぺん。みそ×マヨが香ばしい。焼きたてを、ぜひ味わって！

マヨネーズの栄養学

「おいしいけれど、健康に悪いんじゃない…?」
誤解されがちなマヨネーズのこと、正しく知って使いましょう!

マヨネーズは実は、低塩調味料!

マヨネーズの味は濃く感じられますが、それは酢などの調味料によるもの。実は塩分はかなり少ないのです。マヨネーズ以外の代表的な調味料と比べても、食塩含有量が少ないことがわかります。

大さじ1杯の調味料に含まれる食塩の量

マヨネーズ(卵黄型)	0.3 g	減塩みそ	1.0 g
ケチャップ*	0.5 g	減塩しょうゆ	1.5 g

キユーピー株式会社調べ。*は「五訂増補 日本食品標準成分表」から引用

カロテンやリコピンの吸収力をアップ!

野菜には体によい栄養素がいっぱい。水溶性ビタミン(ビタミンB類、ビタミンC)、食物繊維、ミネラルのほか、注目を集めているのは脂溶性ビタミン。皮膚や粘膜の健康維持を助けるβ-カロテン、抗酸化作用のあるリコピンやビタミンE、骨の形成を助けるビタミンD、ビタミンKなどが代表的です。この脂溶性ビタミンは、油といっしょに食べると吸収がよくなります。マヨネーズは油分を含んでいるので、野菜と好相性、というわけ。特にβ-カロテンは、卵黄型マヨネーズなら油の約3.5倍以上の吸収量になります。

保存料不使用でも腐敗しないのはなぜ？

マヨネーズは殺菌力のある酢、食塩などを含んでいるため、細菌の繁殖を抑える力があります。この防腐作用は強力で、たとえばマヨネーズに大腸菌やサルモネラ、ブドウ球菌などの病原菌を添加しても、24時間以内に死滅してしまいます。この殺菌力でマヨネーズは腐敗から守られているため、保存料や防腐剤を必要としないのです。

マヨネーズのコレステロールは心配不要！

原材料に卵を使っているので、マヨネーズもコレステロールを含んでいます。しかし、マヨネーズ1食分（15ｇ、約大さじ1）に含まれるコレステロールは23mg。1日に食物から摂取するコレステロールは100〜400mgもあるので、その中ではマヨネーズのコレステロール量はわずかなものといえるでしょう。

マヨネーズ1食分（15ｇ）中のコレステロール量

キユーピー マヨネーズ	23mg
キユーピーハーフ	18mg
キユーピーゼロ ノンコレステロール	0mg

キユーピー株式会社調べ

急な来客でもパパッとおしゃれに!
マヨでおもてなしディップ

混ぜるだけの簡単ディップ&ソースは、何種類か並べて
パンや野菜を添えるだけで、立派なおもてなしメニューに。
組み合わせ次第で、こんなに多彩なおいしさが広がります。

ツナを加えた
食べごたえのあるディップ

マヨクリームチーズディップ

こっくりなめらか、濃厚な味わい

❋ 材料と作り方 (作りやすい分量)

クリームチーズ大さじ3は室温にもどし、**マヨネーズ**大さじ3、塩・こしょう各少々とよく混ぜる。

[これに合う!]
セロリなどの生野菜に／パンに塗って／ポテトチップスやフライドポテトに添えて

ツナカレーディップ

❋ 材料と作り方 (作りやすい分量)

玉ねぎのみじん切り大さじ1は水にさらし、水けを絞る。ライトツナフレーク2パック(160g)、**マヨネーズ**大さじ3、レモン汁小さじ1、カレー粉小さじ½とよく混ぜる。

[これに合う!]
パンやクラッカーにのせて／ゆで野菜に／にんじんやセロリなどくせのある生野菜にも

ひよこ豆ディップ

まったりした豆のうまみをマヨで軽やかに

パセリマヨディップ

たっぷりのパセリが風味の決め手!

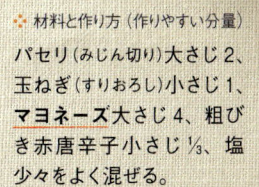

❖ 材料と作り方(作りやすい分量)

パセリ(みじん切り)大さじ2、玉ねぎ(すりおろし)小さじ1、**マヨネーズ大さじ4**、粗びき赤唐辛子小さじ⅓、塩少々をよく混ぜる。

[これに合う]
スティック野菜に添えて/パンやクラッカーにのせて

❖ 材料と作り方(作りやすい分量)

ひよこ豆(水煮)200g、**マヨネーズ大さじ2**、白練りごま小さじ1、塩小さじ⅓、こしょう少々、おろしにんにく少々をフードプロセッサーでなめらかにする。

[これに合う]
濃厚な味わいなのでバゲットや田舎パンなどに/小さく丸めてコロッケに

✿ 材料と作り方（作りやすい分量）

マヨネーズ大さじ3、**コチュジャン**大さじ2、おろしにんにく少々をよく混ぜる。

（これに合う！）
生野菜、ゆで野菜全般に／蒸し鶏に添えて／フライドポテトなど揚げものに

コチュマヨディップ

甘辛いコチュジャンをマイルドに

豆腐マヨディップ

淡白な豆腐にマヨとオリーブオイルでコクを

✿ 材料と作り方（作りやすい分量）

豆腐½丁はキッチンペーパーに包んで重しをし、30分ほどおいて水きりする。**マヨネーズ**大さじ2、**オリーブオイル**大さじ2、おろしにんにく½片分、塩小さじ⅓、こしょう少々と合わせてフードプロセッサーでなめらかにする。

（これに合う！）
きゅうりなどのスティック野菜に添えて／グリーンサラダにかけて／ほうれん草などゆでた青菜のあえごろもに

白みそマヨソース

やさしい甘みの和風ディップ

❖ 材料と作り方（作りやすい分量）

マヨネーズ大さじ1、白みそ大さじ2、練りがらし小さじ½をよく混ぜる。

[これに合う！]
大根など生野菜に／冷ややっこに／グラタンに

らっきょうのタルタルソース

甘酢とらっきょうのつぶつぶ感がさわやか！

❖ 材料と作り方（作りやすい分量）

らっきょうの甘酢漬け（みじん切り）60g、らっきょうの漬け汁小さじ1、**マヨネーズ**大さじ3をよく混ぜる。

[これに合う！]
根菜などゆで野菜に／鶏のから揚げやフライドポテトなど揚げもののソースに

バジルマヨソース

バジルをぜいたくに使ってさわやかに

❖ 材料と作り方（作りやすい分量）

バジルの葉（みじん切り）大10枚分、**マヨネーズ大さじ4**、おろしにんにく少々、粗びき赤唐辛子小さじ1/3をよく混ぜる。

[これに合う！]
じゃがいもやブロッコリーなどゆで野菜に／軽くトーストしたパンにのせて

アンチョビマヨソース

濃厚なマヨとアンチョビのうまみがマッチ

❖ 材料と作り方（作りやすい分量）

マヨネーズ大さじ3、アンチョビフィレ（みじん切り）4枚分、おろししょうが小さじ1をよく混ぜる。

[これに合う！]
ミニトマト、にんじんなどの生野菜に／クラッカーにのせて／ゆで卵に添えて

アボカドディップ

驚くほどなめらかでクリーミー！

枝豆ディップ

ほくっとした枝豆にマヨとチーズの風味

❖ 材料と作り方（作りやすい分量）

アボカド1個は皮と種を除き、**マヨネーズ大さじ3**、豆板醤小さじ½と合わせてフードプロセッサーでなめらかにする。

[これに合う]
スティック野菜に／パンに塗って／トルティーヤチップスやポテトチップスに添えて

❖ 材料と作り方（作りやすい分量）

枝豆（さやつき）200gはゆでてさやから出す。**マヨネーズ大さじ3**、粉チーズ大さじ1、牛乳大さじ1、塩・こしょう各少々と合わせてフードプロセッサーでなめらかにする。

[これに合う]
ガーリックトーストに添えて／じゃがいもなどのゆで野菜に

キユーピー マヨネーズと仲間たち

本書で紹介したレシピは、すべて定番の「キユーピー マヨネーズ」を使っていますが、ほかにもこんなにたくさんの仲間たちが！お好みの味を、見つけてみてくださいね。

キユーピー マヨネーズ
ビタミンB_1・B_2・D・Eが豊富な卵黄、酢、植物油が原料。卵黄たっぷりのコクのあるおいしさと、キユーピーのかわいらしさで、1925年の発売以来、日本で最も愛用されているマヨネーズです。

キユーピー ハーフ
カロリーはキユーピー マヨネーズの1/2。独自の製法により、マヨネーズのおいしさはそのままに、カロリーだけを半分にしました。

キユーピー ライト
カロリーを気にする方に。植物油の量をキユーピー マヨネーズの¼以下に抑えることにより、カロリーを75％カットしました。

キユーピーゼロ ノンコレステロール
独自の技術により、卵黄からコレステロールをカット。さらにカロリーを半分にしました。コレステロールが気になる方に。

キユーピー ディフェ
「植物性ステロール」の働きで、血中コレステロールを下げる効果が。さらにカロリーを半分にしました。消費者庁許可の「特定保健用食品」。

からし マヨネーズ
からしの風味を生かし、ピリッと仕上げたマヨネーズです。サンドイッチやホットドッグ、焼きそば、お好み焼きなどによく合います。

瓶マヨネーズコレクション

かわいい！知ってた!?

おなじみのボトル入りマヨネーズのほかに、
こんなにかわいい瓶入りマヨネーズがあるって知っていましたか？
実は瓶入りマヨネーズは、キユーピーが日本で初めて
マヨネーズを製造した1925年からの定番商品。
1995年からは、大人からこどもまで広く親しまれている
キャラクターのデザイン瓶も採用しているのです。
これまでに発売された瓶マヨのデザインを一部、ご紹介しちゃいます！

1995〜1998年 ピーターラビット 
BEATRIX POTTER™ and PETER RABBIT™ © F.W & Co.

1999〜2000年 ハローキティ 
©1976,2012 SANRIO CO.,LTD. APPROVAL NO.G531538

2001〜2003年 レイモン・ペイネ 
©ADAGP,Paris & JASPAR. Tokyo,2012 E0133

2003〜2005年 スヌーピー
© 2012 Peanuts Worldwide LLC

2008〜2010年 ピーターラビット
BEATRIX POTTER™ and PETER RABBIT™ © F.W & Co. 

2011年〜 リサとガスパール 
©2012 Anne Gutman & Georg Hallensleben / Hachette Livre

※商品の情報は2012年10月現在のものです。瓶マヨネーズは、販売を終了しているものもありますのでご了承ください。

肉・肉加工品

●豚ロース薄切り肉
豚肉と長いもの梅マヨ蒸し	018
こっくり豚キムチ	024
豚肉のマヨピザ風	028

●鶏むね肉
タルタルチキンカツ	014
ピリ辛マヨチキン	020
ジューシータンドリーチキン	026
鶏のから揚げ	050
ふんわりオムライス	086

●鶏もも肉
鶏のから揚げ	050

●牛もも薄切り肉
マヨ風味プルコギ	030

●合いびき肉
ひき肉とマッシュポテトのグラタン	022
ふっくらハンバーグ 明太マヨソース	042

●豚ひき肉
ごちそうシュウマイ	032
ジューシー肉まん	078

●ウインナ
ウインナエッグトースト	048

●ハム
クリーミークロックマダム	044
ポテトサラダ	062
マヨピザまん	078
たっぷり野菜の冷やし中華風	089

●ベーコン
かぼちゃのクリーミーサラダ	060
ぱらぱらマヨピラフ	085

魚介

●あさり(殻つき)
あさりとセロリのさっぱり蒸し	040

●甘塩鮭
鮭の香味ソース焼き	016

●えび(無頭)
えびマヨ	012
れんこんとえびのマヨみそ焼き	033
えびフライ	055
えびのガーリックオイル煮	112

●かじき
かじきのパセリチーズ焼き	037

●しらす
マヨしらすの焼きおにぎり	077

●するめいか
いかのマヨしょうが煮	031

●たらこ
たらこマヨの揚げワンタン	104

●ほたて貝柱
ミニトマトとほたてのピリ辛あえ	067
ほたてときのこのにんにくパン粉焼き	106

●まぐろ(刺身用・ぶつ切り)
アボカドまぐろのコチュマヨあえ	066

●明太子
ふっくらハンバーグ 明太マヨソース	042
アスパラとパプリカの明太マヨパスタ	090

野菜

●青じそ
かにかましそ天	036
ツナマヨの揚げ春巻き	038
ちくわと玉ねぎのからしマヨサラダ	074
油揚げのモッツァレラ詰め焼き	108
梅香味野菜のきゅうりのせ	111

●アスパラガス
マヨ風味プルコギ	030
アスパラとパプリカの明太マヨパスタ	090

●アボカド
アボカドまぐろのコチュマヨあえ	066
アボカドディップ	121

●枝豆
枝豆ディップ	121

●かいわれ
サラダのり巻き	082

●かぼちゃ
かぼちゃのクリーミーサラダ	060

●キャベツ
たっぷり野菜の冷やし中華風　089
ツナとバジルのパスタ　092

●きゅうり
ポテトサラダ　062
トマトときゅうりのクミン風味サラダ　070
きゅうりとザーサイのピリ辛サラダ　073
サラダのり巻き　082
たっぷり野菜の冷やし中華風　089
梅香味野菜のきゅうりのせ　111

●ごぼう
ごぼうと万能ねぎのサラダ　068

●じゃがいも
ひき肉とマッシュポテトのグラタン　022
ポテトサラダ　062
オーロラソースのポテトサラダ　063
じゃがいものなめたけマヨのせ　069
ブロッコリーとじゃがいものレモンマヨサラダ　071
フライドポテトのガーリックマヨかけ　102

●セロリ
あさりとセロリのさっぱり蒸し　040

●大根
大根と油揚げのサラダそば　088

●玉ねぎ
鮭の香味ソース焼き　016
ひき肉とマッシュポテトのグラタン　022
豚肉のマヨピザ風　028
マヨ風味プルコギ　030
ごちそうシュウマイ　032
ツナマヨの揚げ春巻き　038
あさりとセロリのさっぱり蒸し　040
ふっくらハンバーグ 明太マヨソース　042
かぼちゃのクリーミーサラダ　060
ポテトサラダ　062
オーロラソースのポテトサラダ　063
マヨピザまん　078
ぱらぱらマヨピラフ　085
ふんわりオムライス　086
ちくわと玉ねぎのマヨ焼きそば　094

●紫玉ねぎ
マカロニサラダ　064
トマトときゅうりのクミン風味サラダ　070
ちくわと玉ねぎのからしマヨサラダ　074
トマトのマヨアンチョビサラダ　075

●トマト
トマトときゅうりのクミン風味サラダ　070
トマトのマヨアンチョビサラダ　075

●ミニトマト
豚肉のマヨピザ風　028
かじきのパセリチーズ焼き　037
ミニトマトとほたてのピリ辛あえ　067
ぱらぱらマヨピラフ　085

●長いも
豚肉と長いもの梅マヨ蒸し　018
あさりとセロリのさっぱり蒸し　040
長いものりわさびマヨのせ　072

●長ねぎ
ジューシー肉まん　078
鮭フレークレタスチャーハン　084
たらこマヨの揚げワンタン　104

●にら
こっくり豚キムチ　024

●にんじん
マヨ風味プルコギ　030
ポテトサラダ　062
ぱらぱらマヨピラフ　085
たっぷり野菜の冷やし中華風　089

●バジル
ひき肉とマッシュポテトのグラタン　022
ミニトマトとほたてのピリ辛あえ　067
ツナとバジルのパスタ　092
バジルマヨソース　120

●パプリカ（赤・黄）
かじきのパセリチーズ焼き　037
アスパラとパプリカの明太マヨパスタ　090

●万能ねぎ
納豆ねぎマヨトースト　046
アボカドまぐろのコチュマヨあえ　066
ごぼうと万能ねぎのサラダ　068
はんぺんピザ　113

●ピーマン
鮭の香味ソース焼き　016
豚肉のマヨピザ風　028
マカロニサラダ　064

125

材料別INDEX

●ブロッコリー
ツナとブロッコリーのカレー風味トースト　049
ブロッコリーとじゃがいものレモンマヨサラダ　071

●水菜
水菜と豆腐のゆずこしょうサラダ　065

●みつば
豚肉と長いもの梅マヨ蒸し　018

●みょうが
ちくわのおかかマヨあえ　110
梅香味野菜のきゅうりのせ　111

●もやし
マヨ風味プルコギ　030

●レタス
えびマヨ　012
鮭フレークレタスチャーハン　084

●れんこん
れんこんとえびのマヨみそ焼き　033

●わけぎ
いかのマヨしょうが煮　031
大根と油揚げのサラダそば　088

きのこ

●しめじ
豆腐のマヨしょうが焼き　034

●生しいたけ
鮭の香味ソース焼き　016
ごちそうシュウマイ　032
ほたてときのこのにんにくパン粉焼き　106

●まいたけ
豆腐のマヨしょうが焼き　034

乾物・海藻

●削り節
おかかのこっくりおにぎり　076
ちくわのおかかマヨあえ　110

●干ししいたけ
ジューシー肉まん　078

●焼きのり
おかかのこっくりおにぎり　076
サラダのり巻き　082

●わかめ（塩蔵）
豆腐のマヨしょうが焼き　034
大根と油揚げのサラダそば　088

卵

タルタルチキンカツ　014
クリーミークロックマダム　044
ウインナエッグトースト　048
厚焼き玉子　052
ホットケーキ　057
ふんわりオムライス　086
たっぷり野菜の冷やし中華風　089

練りもの

●かに風味かまぼこ
かにかましそ天　036
サラダのり巻き　082

●ちくわ
ちくわと玉ねぎのからしマヨサラダ　074
ちくわと玉ねぎのマヨ焼きそば　094
ちくわのおかかマヨあえ　110

●はんぺん
はんぺんピザ　113

豆腐・大豆加工品

●豆腐
豆腐のマヨしょうが焼き　034
水菜と豆腐のゆずこしょうサラダ　065
豆腐マヨディップ　118

●油揚げ
大根と油揚げのサラダそば　088
油揚げのモッツァレラ詰め焼き　108

●納豆
納豆ねぎマヨトースト　046

缶詰・パウチ商品

●アンチョビフィレ
トマトのマヨアンチョビサラダ　075
アンチョビマヨソース　120

●鮭フレーク
鮭フレークレタスチャーハン　084

●ライトツナフレーク
ツナマヨの揚げ春巻き　038
ツナとブロッコリーのカレー風味トースト　049
マカロニサラダ　064
ツナとバジルのパスタ　092
ツナカレーディップ　116

●ひよこ豆水煮
ひよこ豆ディップ　117

●ホールコーン
豚肉のマヨピザ風　028
オーロラソースのポテトサラダ　063
トマトときゅうりのクミン風味サラダ　070
ばらばらマヨピラフ　085

●なめたけ
じゃがいものなめたけマヨのせ　069

●のりの佃煮
長いもののりわさびマヨのせ　072

ごはん・麺・パン類

●ごはん
おかかのこっくりおにぎり　076
マヨしらすの焼きおにぎり　077
サラダのり巻き　082
鮭フレークレタスチャーハン　084
ふんわりオムライス　086

●米
ばらばらマヨピラフ　085

●スパゲッティ
アスパラとパプリカの明太マヨパスタ　090
ツナとバジルのパスタ　092

●マカロニ
マカロニサラダ　064

●中華生麺
たっぷり野菜の冷やし中華風　089

●中華蒸し麺（焼きそば用）
ちくわと玉ねぎのマヨ焼きそば　094

●そば
大根と油揚げのサラダそば　088

●食パン・バゲットなどパン
クリーミークロックマダム　044

納豆ねぎマヨトースト　046
キムチチーズトースト　047
ウインナエッグトースト　048
ツナとブロッコリーのカレー風味トースト　049

●強力粉・強力粉
ジューシー肉まん　078
マヨピザまん　078

●ホットケーキミックス
ホットケーキ　057

乳製品・その他

●クリームチーズ
マヨクリームチーズディップ　116

●スライスチーズ
クリーミークロックマダム　044

●ピザ用チーズ
豚肉のマヨピザ風　028
キムチチーズトースト　047
マヨピザまん　078

●モッツァレラチーズ
油揚げのモッツァレラ詰め焼き　108

●シュウマイの皮
ごちそうシュウマイ　032

●春巻きの皮
ツナマヨの揚げ春巻き　038

●ワンタンの皮
たらこマヨの揚げワンタン　104

●梅肉
豚肉と長いもの梅マヨ蒸し　018
梅香味野菜のきゅうりのせ　111

●白菜キムチ
こっくり豚キムチ　024
キムチチーズトースト　047

●ザーサイ（味つき）
きゅうりとザーサイのピリ辛サラダ　073

●らっきょうの甘酢漬け
らっきょうのタルタルソース　119

127 材料別INDEX

料理制作

藤井 恵
Megumi FUJII

料理研究家。
日本テレビ「キユーピー3分クッキング」のレギュラー講師を務めるほか、書籍や雑誌などで幅広く活躍。温かい人柄と、家庭でも作りやすくておいしい料理にファンが多い。『野菜たっぷり、の週末ビール会おつまみレシピ』『野菜たっぷり、のおつまみとおかずの本』(ともに小社刊)など、著書多数。
http://www.fujiimegumi.jp/

STAFF

ブックデザイン …… 門松清香
撮影 …… 鈴木泰介
スタイリング …… 大畑純子
取材 …… 西前圭子
イラスト …… 福々ちえ
校閲 …… 滄流社
編集 …… 山村奈央子

監修 …… キユーピー株式会社

キユーピーのマヨネーズレシピ

編集人	泊出紀子
発行人	黒川裕二
発行所	株式会社 主婦と生活社
	〒104-8357
	東京都中央区京橋3-5-7
	TEL 03-3563-5321（編集部）
	TEL 03-3563-5121（販売部）
	TEL 03-3563-5125（生産部）
	http://www.shufu.co.jp/
印刷所	大日本印刷株式会社
製本所	株式会社若林製本工場

ISBN978-4-391-14251-8

落丁・乱丁の場合はお取り替えいたします。お買い求めの書店か、小社生産部までお申し出ください。

Ⓡ本書を無断で複写複製（電子化を含む）することは、著作権法上の例外を除き、禁じられています。本書をコピーされる場合は、事前に日本複製権センター（JRRC）の許諾を受けてください。
また、本書を代行業者等の第三者に依頼してスキャンやデジタル化をすることは、たとえ個人や家庭内の利用であっても一切認められておりません。
JRRC（http://www.jrrc.or.jp Eメール：jrrc_info@jrrc.or.jp TEL：03-3401-2382）

©2012 Kewpie Corporation,
SHUFU TO SEIKATSUSHA Printed in Japan